Meini Meirionnydd

A daw o'r niwl gyda'r nos
Hen hiraeth a fyn aros.

Tecwyn Owen

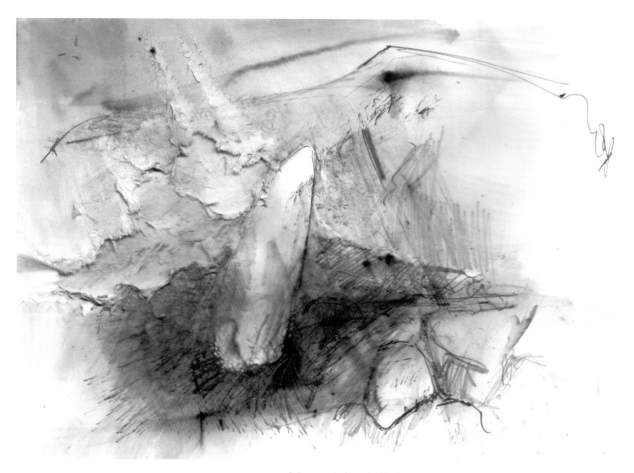

Arlunwaith Arwel Micah

Meini Meirionnydd

Meini Hirion, Cylchoedd Cerrig a Chromlechi ym Meirionnydd

Testun: Huw Dylan Owen

Lluniau: David Glyn Lewis

(Uchod: Arfbais Cyngor Sir Meirionnydd 1952–1974 a Chyngor Dosbarth Meirionnydd 1974-1996)

Cof byr yw ein natur ni
Mae amynedd mewn meini.

Emyr Lewis

Argraffiad Cyntaf: 2007

℗ Huw Dylan Owen, David Glyn Lewis a'r Lolfa Cyf. 2007

ISBN-13: 978 0 86243 986 6
ISBN-10: 086243 986 8

Argraffwyd a chyhoeddwyd gan
Y Lolfa, Talybont, Ceredigion SY24 5AP.
gwefan www.ylolfa.com
e-bost ylolfa@ylolfa.com
ffôn 01970 832 304
ffacs 832 782

Cynnwys

Cyflwynir y gyfrol hon i'n plant

David James Lewis

Llio Heledd Owen

Mirain Angharad Owen

Eu treftadaeth sydd yma.

Rhagair

Meini Meirionnydd

Mynych wrth rodio meini ein rhandir
rhyw gryndod ddaw imi,
A daw chwant i'ch 'nabod chwi
o hel achau'ch cromlechi.

Huw Dylan Owen

Mae hi'n fore, yn oer, a'r gwynt main yn chwibanu rhwng y meini hyn tua'r môr. Mae David a minnau wedi cerdded oddeutu saith milltir i gyrraedd y fan yma, saith milltir drwy weiriach gwlyb a chors unig. Does dim rhamant ar y ffordd yma, dim ond llethrau serth, oerfel a gwynt. Anial yw tiroedd Meirionnydd ar y cyfan. Ond yna, wrth gerdded heibio i'r bryncyn bychan olaf a cheisio osgoi colli ein hesgidiau yn y mwd dyna waedd, "Dacw fo! Bryn Cader Faner".

Mae Bryn Cader Faner yn drysor cenedlaethol. Mae'n unigryw, yn hardd, yn hudolus, yn fawreddog, yn goron ar Gymru yng nghanol tir cysegredig y duwiau, Ardudwy, a does fawr neb yn gwybod amdano! Mae anwybodaeth yn rhemp a'n cof cenedl yn cael ei ddilorni gan system addysg sy'n mynnu ein hargyhoeddi mai'r Rhufeiniaid oedd yr ymwelwyr cyntaf i Brydain ac mai'r 'spinning jenny' a dyfeisiadau tebyg yw ein hetifeddiaeth ninnau yr ochr yma i Glawdd Offa i ddiddanu'r ymwelwyr a ddônt o'r ochr arall i'r clawdd.

Mae Ardudwy yn frith o gromlechi a charneddau. Does llawer o ryfedd iddo gael ei alw yn "dir duw". Y syndod yw fod gan Meirionnydd gyfan gyfran helaeth o feini hirion, o Ardudwy yng Ngogledd-orllewin yr hen sir at yr 'eglwys' yng Nghwm Maethlon yn y De hyd at y Ddyfrdwy (dŵr duw) yn y Gogledd-ddwyrain.

Bwriad y llyfr hwn yw i rannu gwybodaeth am nifer o feini cyn-hanesyddol ym Meirionnydd ac i godi ymwybyddiaeth ein cyd-Gymry o'n hetifeddiaeth gyfoethog ac i sicrhau fod Cymru, a Meirionnydd yn benodol, yn cael eu hadnabod a'u cydnabod yn gartref i ryfeddodau cyntefig. Gwyddom am nifer o feini a chromlechi eraill ym Meirionnydd, ond manylwn yn y llyfr hwn ar y rhai amlycaf yn unig. Os oes gan y darllenydd ddiddordeb ymchwilio a theithio ymhellach awgrymwn yn gryf iddo ddarllen y clasur, *History of Merioneth – Volume I*, gan Bowen a Gresham, sydd yn rhestru pob safle ym Meirionnydd yn wyddonol ac yn fanwl.

Yr ydym wedi ceisio peidio damcaniaethu ar reswm-bod y meini, er ein bod yn sôn am ddamcaniaethau rhai awduron eraill yng nghyd-destun rhai o'r meini. Oherwydd hyn, gwelir mai ceisio rhoi ffeithiau yn unig a wnaethpwyd. 'Rydym wedi cerdded at bob un o'r meini hyn, yn wir pererindota a wnaethom ac 'rydym wedi eu cyffwrdd i gyd, wedi tynnu llun pob un ohonynt ar gyfer y gwaith hwn, ac felly gallwn eich sicrhau o'u bodolaeth yng Ngorffennaf 2007.

Chwalwyd nifer o'r cromlechi gan amaethwyr ac eraill dros y canrifoedd ac mae'r un math o ymddygiad yn parhau yn boendod i ninnau hefyd yn y ganrif newydd hon. Yn wir, wrth wneud y gwaith ymchwil ar gyfer y llyfr hwn bu hanesion yn y papurau lleol am feini hirion dan warchae – un maen hir yn ardal Dinbych, "Burying History – Outrage after farmer moves ancient stone" (*Daily Post*, 3/1/2002) ac eraill yn ardal Abertawe, "Historic Stones in Sad State" (*South Wales Evening Post*, 2/9/2002). Yn anffodus, yr un oedd yr hanes ym Meirionnydd wrth i ni deithio'r ardal. Doedd dim llawer o ôl gwarchod ar y meini yn rhai o'r safleoedd y buom ninnau atynt ychwaith.

Felly yn ôl at fore oer yn ucheldir Ardudwy ger Bryn Cader Faner, cromlech a chwalwyd yn rhannol gan y fyddin tra'n ymarfer saethu gyda'u gynnau mawr yn ystod yr Ail Ryfel Byd, a ninnau yn rhynnu yng nghanol Ionawr yn dadlau ar ba un ohonom yr oedd y bai am ein methiant i ddarllen map syml! Ond daw y cylch cerrig hwn a ni yn ôl at ein coel, a'n rhyfeddu. Mae ias y cynoesol yma, yn treiddio drwy bopeth a'r olygfa yn ceisio'i gorau i'n hargyhoeddi na fu bodau dynol yn agos i'r fan ers i Bryn Cader Faner ei hunan gael ei osod yn ei lle.

Sut gallem ni, o hil a gwaed y Brythoniaid a osododd y meini hyn, anghofio diben eu codi, anghofio am eu bodolaeth hyd yn oed? Sut y gallai trigolion Llandecwyn, y pentref agosaf at Bryn Cader Faner, fethu gwybod am ei fodolaeth, ond iddynt fedru rhestru dyddiadau brwydrau byddin Lloegr a theulu brenhinol Lloegr ar hyd y canrifoedd? Mae rhywbeth mawr wedi ei golli o'n cof ni fel cenedl.

Ond er hyn, yn sefyll yma, yn edrych i lawr i gyfeiriad yr afon Ddwyryd dywed yr awel wrthym nad ydym angen gwybod, nad yw deall ystyr y cerrig hyn yn bwysig. Mae bod yma am ychydig yn ddigon. Cael cyffwrdd y meini ac anadlu'n ddwfn i fwynhau hud a lledrith y lle, a chlywed sŵn cyntefig ym mhopeth, o gŵyn y gwynt i frêf y ddafad. Mae'r oes efydd megis ddoe yma. Fel hyn y mae Donald Evans yn cloi ei gerdd i Garn Chwilgarn ac felly y teimlwn ninnau wrth gael bod ym Mryn Cader Faner:

> Cae'r bywyd mawr, lle ceir bod am orig
> Yn deimlad llwyr dan y nef gyntefig
> Yn un ag arogl pridd a hen gerrig,
> Heb raid pendroni ddim yn anniddig
> Fel ffŵl gyda'r meddwl mig – â'r beddau'n
> Heulwen y waun, cael bodoli'n unig.

Diolchiadau

Mae ein diolch yn enfawr i nifer fawr o bobl na fedrwn mo'u henwi i gyd yma. Yr unigolion hynny rydd ysbrydoliaeth i ni yn feunyddiol a rhai eraill a'n trwythodd yn y 'pethe'. Mae ein gwerthfawrogiad yn fawr i chwi i gyd.

Diolch arbennig, fodd bynnag, i'r canlynol:

Ein teuluoedd am eu hamynedd a'u cefnogaeth drwy flynyddoedd o ddioddef hanesion cerrig.

Donald Evans am gael defnyddio rhan o'i gerdd i 'Garn Chwilgarn'.

Emyr Lewis am gael defnyddio'i gwpled o'r gerdd i 'Aberglasne'.

Meirion MacIntyre Huws am gael defnyddio ei englyn i'r 'Wal Gerrig'.

Tecwyn Owen am gael defnyddio ei englyn i 'Llyn Eiddew Bach' a'i hir-a-thoddaid i 'Maen Scethin'.

Arwel Micah am yr arlunwaith ar yr ail dudalen.

Gweithwyr y wasg am eu gofal dros y gyfrol hon.

Yr Amgueddfa Genedlaethol am eu caniatâd i gynnwys tri llun o'u casgliad.

Mapiau Ordnans am eu cywirdeb yn lleoli'r henebion.

Hebddo chwi oll ni fyddai'r gwaith hwn fyth wedi gweld golau dydd.

Geirfa

Bedd–gist   Bedd wedi ei greu o slabiau cerrig neu gerrig llai.

Beddrod Porth   Math o gromlech lle ceir dau faen hir yn wynebu eu gilydd i greu porth a mynediad i siambr gladdu, a'r cyfan o dan gapfaen sydd fel rheol yn gorwedd ar ongl o tua 30 gradd.

Capfaen   Y maen enfawr sydd yn cydbwyso ar ben meini hirion i greu cromlech.

Carnedd   Twmpath o gerrig fyddai'n gorchuddio beddrodau.

Cist   Gweler Bedd-gist.

Cromlech   Meini hirion gyda chapfaen yn cydbwyso arnynt. Byddai cromlech wedi ffurfio siambr gladdu yn wreiddiol, ond fel rheol dim ond y meini a'r capfaen sydd yn weddill. Dywedir 'dolmen' gan rai.

Cylch Cerrig   Nifer o feini hirion wedi eu gosod ar eu cyllyll i greu ffurf cylch.

Cylchoedd Consentrig   Un cylch oddi mewn i gylch arall a'r cylchoedd yn rhannu'r un pwynt canol.

Dyddio Radio Carbon   Dull gwyddonol o fesur oedran deunydd sydd yn cynnwys carbon hyd at 60,000 o flynyddoedd. Mae peth trafod ynglyn â chywirdeb y dull hwn o ddyddio ac yn gyffredinol mae'n rhoi oedran rhy ifanc.

Maen Gobaith   Maen hir wedi ei osod i arwyddo'r llwybr i rhyw safle arall i deithiwr. Weithiau fe'i gelwir yn Maen y Brenin.

Maen Hir   Carreg hir wedi ei gosod ar ei chyllell yn y ddaear.

Maen y Brenin   Gweler Maen Gobaith.

Marciau Cwpan   Olion mewn maen hir neu ar gapfaen mewn cromlech lle y naddwyd ffurf crwn i mewn iddi, fel petai pel gron wedi ei thynnu ohoni.

Neolithig   Y cyfnod rhwng 4000 CC a 2000 CC.

Oes Efydd   Y cyfnod rhwng 2000 CC a 600 CC.

Siambr Gladdu   Beddrod oddi mewn i gromlech a fyddai wedi ei orchuddio gyda cherrig, pridd a llystyfiant.

Meirionnydd a'i Meini

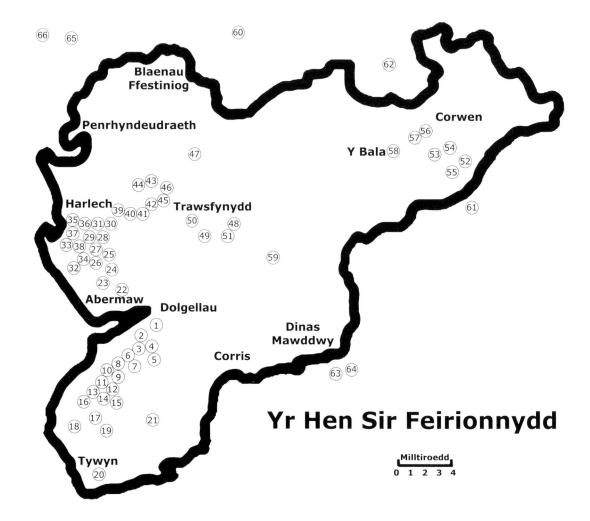

Blaenau Ffestiniog

Penrhyndeudraeth

Corwen

Y Bala

Harlech

Trawsfynydd

Abermaw

Dolgellau

Dinas Mawddwy

Corris

Yr Hen Sir Feirionnydd

Tywyn

Milltiroedd
0 1 2 3 4

1	Carneddau Gwernan	34	Bron y Foel Uchaf
2	Carreg Cregennan	35	Cerrig Llanbedr
3	Carreg y Big	36	Cromlech Gwerneinion
4	Bedd Cregennan	37	Carreg Gylchog Llanbedr
5	Carneddau Hafotty Fach	38	Bedd Gurfal / Moel y Gerddi
6	Cylch Arthog	39	Cae Meini Hirion Bach
7	Maen Du / Waen Bant	40	Arwyddfeini Llanfair
8	Llys Bradwen	41	Arwyddfeini Moel Goedog
9	Eglwys Coelbrennau	42	Moel Goedog
10	Bron Llety Ifan	43	Y Gyrn
11	Meini Bryn Seward	44	Maes y Caerau
12	Carnedd Goleuwern	45	Llyn Eiddew Bach
13	Gwely'r Meibion	46	Bryn Cader Faner
14	Meini Waun Oer	47	Maen Twrog
15	Bedd y Brenin	48	Llech Idris
16	Meini Parth y Gwyddwch	49	Maen Llwyd
17	Yr Allt Lwyd	50	Crawcwellt
18	Waun Fach	51	Cylch y Derwyddon / Penstryd
19	Cae Berllan	52	Moel Tŷ Uchaf
20	Y Groes Faen Hir	53	Cylch Cerrig Tyfos
21	Eglwys y Gwyddelod	54	Branas Uchaf
22	Cerrig y Cledd / Maen y Cleddau	55	Tan y Coed
23	Cylch Cerrig Arthur	56	Cylchoedd Cefn Caer Euni
24	Bwlch y Rhiwgyr	57	Maen Hir y Rhos / Coed y Bedo
25	Cylch Cerrig Ffridd Newydd	58	Pabell Llywarch Hen
26	Carneddau Hengwm	59	Maen Dolfeili
27	Cylchoedd Cerrig Hengwm	60	Capel Garmon
28	Cylch Cerrig Llecheiddior	61	Cadair Bronwen
29	Cromlech Cors y Gedol	62	Llyn Brenig
30	Meini Scethin	63	Rhosdyrnog
31	Cylch Cerrig Waen Hir	64	Mynydd Dyfnant
32	Coetan Arthur	65	Cist Cerrig
33	Carnedd Bron y Foel Isaf	66	Cefn Isaf / Ystumcegid

Meini Meirionnydd

Dywed hen ddihareb Gymraeg mai "Da yw'r maen gyda'r Efengyl", a dyna glymu'r traddodiad Cristnogol yn dynn gyda'r meini hirion a'r crefyddau fu yma yng Nghymru am filoedd o flynyddoedd cyn geni Crist. Daeth Cristnogaeth i Brydain â chwyldro crefyddol, cymdeithasol a gwladgarol. Ond camsyniad fyddai haeru fod dyfodiad Cristnogaeth wedi cyflwyno gwareiddiad i Gymru. Byddai honiad o'r fath yn rhagdybio mai gwyllt a di-ddiwylliant oedd Brythoniaid Cymru cyn dyfodiad y Rhufeiniaid ac ystyrir datganiad o'r fath yn chwerthinllyd o naïf a di-ddysg.

Ond wrth gwrs, dyma'n union a ddysgir drwy systemau addysg y Brydain gyfoes a dyma'r gredo am hanes Prydain a arddelir gan aml un o haneswyr mwyaf blaenllaw Prydain. Does ond rhaid edrych mewn mynegai ambell un o lyfrau hanes Prydain mewn siop leol am "Gymru" neu'r "Gymraeg" i sylweddoli'r diffyg cydnabyddiaeth, neu ddeall, sydd o'n hanes (mewn un argraffiad o'r Encyclopedia Britanica, cyfeirir at Gymru fel ag a ganlyn, "For WALES – See ENGLAND"). Yn anffodus, prin yw'r dystiolaeth hanesyddol glir sydd i'w gael am ein cyndeidiau cyn y Rhufeiniaid ac o'r herwydd mae rhai haneswyr diocach na'u gilydd fel pe baent am gyfleu i'r darllenydd fod diffyg tystiolaeth yn golygu nad oes hanes o gwbl.

Disgrifiodd Tacitus (56-117 OC) byddin Brythoniaid Ynys Prydain ar lannau'r Fenai wrth i'r lleng Rhufeinig baratoi i ymosod ar Ynys Môn:

> Ar y lan gyferbyn safai'r fyddin a'n gwrthwynebai yn rhesi trwchus o ryfelwyr arfog, tra rhwng y rhengoedd gwibiau gwragedd, mewn gwisgoedd duon fel ellyllon, gyda'u gwalltiau'n anniben, yn chwifio ffaglau. Syfrdanwyd ein milwyr gan yr olygfa anghredadwy o dderwyddon o amgylch yn dyrchafu eu dwylo tua'r nefoedd, ac yn sgrechian melltithion erchyll, fel ag y bu iddynt sefyll yn ddisymud fel pe bai eu haelodau wedi eu parlysu, ac yn agored i'w clwyfo......

Gosodwyd gwarchodaeth ar y rhai a goncrwyd, ac ar eu llennyrch, y rhai a gysegrwyd i ofergoeliaeth annynol, a dinistriwyd hwynt. Ystyriai'r derwyddon ei bod yn ddyletswydd arnynt i orchuddio'u hallorau gyda gwaed carcharorion ac ymgynghori gyda'u duwiau drwy ymysgaroedd dynol.

Yn ddiweddarach, cofnododd Cesar lawer am y derwyddon ym Mhrydain, gan nodi eu bod yn diogelu ac yn cadw'r diwylliant anysgrifenedig ar gof, yn feirdd ac yn ddynion hysbys, eu bod yn deddfu a barnu, a bod ganddynt ddull o ysgrifennu gan ddefnyddio llythrennau Groegaidd. Dywedodd hefyd fod credo'r derwydd yn datgan fod yr enaid yn goroesi marwolaeth drwy symud i gorff arall. Yn sicr ddigon, nid anwaraidd oedd trigolion Cymru yn ôl Cesar. Cofnododd y Groegwr, Pytheas, yn 320 Cyn Crist yn ogystal, fod pobl Prydain yn galw eu hunain yn "Pretani" (gwreiddiau Brython a Prydain) yn yr oes honno a'u bod yn bobl waraidd a chelfydd dros ben. Ond rhaid cofio hefyd fod Cesar, Tacitus a Pytheas yn cofnodi dwy neu dair mil o flynyddoedd wedi codi'r cromlechi, cylchoedd cerrig a'r meini hirion.

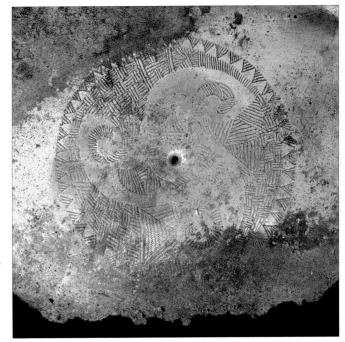

Tarian o Dal-y-Llyn, Meirionnydd
Llun ⊕ Amgueddfa Genedlaethol Cymru

Gyda dyfodiad y Rhufeinwyr daeth Cristnogaeth i Ynys Prydain ac yn araf disodlwyd yr hen grefydd a chydag amser anghofiwyd yr hen allorau cerrig, sef yr unig dystiolaeth gadarn o'r hen ffordd Frythonig o fyw. Ond nid yn llwyr. Pery llawer o ofergoeliaeth a chwedloniaeth y derwydd yn fyw o hyd. Tra'n ymchwilio ar gyfer y gwaith hwn darllenwyd hanesion am ferched yn ystod yr unfed ganrif ar hugain yn cropian o dan gromlech arbennig gan gredu y byddai hynny'n eu gwneud yn fwy tebygol o feichiogi. Mewn man arall darllenwyd am arferiad, na ddaeth i ben hyd ail hanner yr ugeinfed ganrif, o gario arch o amgylch maen hir mewn mynwent dair gwaith cyn gostwng yr arch i'r pridd. Mae'n rhyfeddol fod y fath gredoau wedi goroesi gyhyd.

Plac o Dal-y-Llyn, Meirionnydd
Llun ® Amgueddfa Genedlaethol Cymru

Gall archeolegwyr roi tystiolaeth gadarn i ni am y meini hyn. O gloddio'n ofalus canfyddir amrywiol arteffactau yng nghrombil nifer o'r cromlechi, gan gynnwys crochenwaith, gwaith haearn, olion golosg ôl-amlosgi cyrff, olion cyrff a gladdwyd ac eraill wedi eu hail gladdu yn dilyn llosgi'r olion gwreiddiol, olion cyrff anifeiliaid, darnau cyrff dynol (e.e. clustiau plant ar Ynys Môn), ynghyd â gemwaith mewn ambell fedd. Y gemwaith, wrth reswm, oedd diben llawer o'r cloddio yn y canrifoedd a fu, a chanfuwyd llawer o eitemau tebyg i'r rhai a restrir uchod mewn llynnoedd ar hyd ac ar led Cymru, yr enwocaf yn Llyn Cerrig Bach, Ynys Môn, ond yr harddaf yn Nhal-y-Llyn, Meirionnydd. Er mai dychmygu golygfa sinistr yn aml a wneir wrth ystyried y siambrau claddu hyn, mae peth tystiolaeth y gadawyd blodau yn y bedd gyda'r meirw weithiau, gwybodaeth sy'n cyfleu golygfa o alaru tyner efallai, yn hytrach na'r ddelwedd draddodiadol o aberth a marwolaethau treisgar.

Drwy ddulliau dyddio carbon mae'r arbenigwyr bellach yn rhoi amcan o ddyddiad codi cromlech neu faen hir a gwyddom felly fod rhai o'r meini a welir yn y llyfr hwn dros bum mil o flynyddoedd oed. Yn rhyfeddach fyth, gwyddom, er enghraifft, fod y ddwy siambr gladdu sydd yng Nghoetan Arthur, Dyffryn Ardudwy, wedi eu hadeiladu ar adegau gwahanol – y siambr leiaf a'r hynaf gannoedd os nad mil o flynyddoedd cyn yr ail siambr ac yna, oddeutu mil o flynyddoedd yn ddiweddarach defnyddiwyd y siambr hon i gladdu gweddillion amlosgi mewn crochenwaith. Awgryma hynny fod defnydd o'r siambrau wedi ymestyn dros gyfnod o dros ddwy fil o flynyddoedd, a'r dystiolaeth olaf oddeutu mil cyn Crist. O ystyried y llinell amser hon ym Meirionnydd ymddengys cyfnod adeiladu'r cestyll yn gyfoes iawn!

Bu llawer o ddamcaniaethu ar hyd y blynyddoedd am reswm bod y meini hyn. Yr amlycaf ohonynt sydd fel a ganlyn:

• Lleoliadau Angladdol – Lle claddwyd cyrff, neu weddillion amlosgi oddi mewn i gromlech. Mae llawer o dystiolaeth wedi ei ganfod i gefnogi'r gred hon ac mae'r traddodiad barddol Cymraeg yn rhoi "Englynion y Beddau" i ni i gefnogi'r ddamcaniaeth hon.

- Allorau Aberthol – Cred rhai fod y derwyddon, yn aberthu'r diniwed i'w duwiau yn y mannau hyn. Mae peth tystiolaeth o blant wedi eu claddu mewn cromlechi.

- Lleoliadau Seremonïol/Crefyddol – Cred rhai mai allorau ar gyfer crefydd baganaidd oedd y meini.

- Calendr Sidydd neu Seryddiaeth – Cred gyffredin iawn yw fod gan y cylchoedd cerrig swyddogaeth seryddiaeth a chyhoeddwyd llyfrau lu ar y pwnc.

- Llinellau Ley – Er fod damcaniaethau llinellau ley bellach yn anffasiynol a nifer yn gwawdio'r fath syniadau, mae llawer yn dal i arddel bod llinellau anweledig ond bwriadol ar draws gwlad rhwng henebion sydd yn dilyn llwybrau egni. Awgrymir weithiau fod cerrig gwynion (quartz) yn darddiad i'r egni hwn.

- Offerynnau Cerddorol neu Ddulliau Cyfathrebu – Bu llawer o sôn yn ddiweddar ar deledu ac mewn llyfrau am nodweddion acwstig rhai o'r henebion hyn.

- Arwyddion Ffordd – Mae'n amlwg fod rhai o'r meini hirion wedi eu gosod ar hyd ymyl hen lwybrau sy'n arwain at henebion pwysig (e.e. meini ar hyd y ffordd at Bryn Cader Faner). Gelwir y mathau hyn o gerrig weithiau yn Feini Gobaith neu Meini'r Brenin.

- Olion gofodwyr – Cyhoeddwyd llyfrau yn ddiweddar i esbonio cred rhai mai olion ymweliad gofodwyr filawdau yn ôl yw'r cromlechi.

Ymddengys rhai o'r uchod yn hurt i ni, ac eraill yn fwy rhesymol. Cred y mwyafrif o arbenigwyr y maes mai cyfuniad o nifer ohonynt sydd fwyaf tebygol ac nad oes un rheswm syml am eu bodolaeth. Dywed rhai arbenigwyr ei bod yn bosibl fod un genhedlaeth wedi anghofio pwrpas gwreiddiol henebion ac wedi eu defnyddio at bwrpasau gwahanol. Dywedir fod un teulu o dlodion wedi llochesu yn siambr gladdu Prysaeddfed ar Ynys Môn ar ddechrau'r ddeunawfed ganrif. Rhyw fath o ailgylchu pensaernïol.

Cwestiwn arall sy'n creu penbleth yn aml yw sut y codwyd ac yr adeiladwyd yr henebion hyn. Sut yn y byd y llwyddodd dyn cyntefig i godi meini sydd yn aml yn pwyso hyd at ddeugain tunnell. A hynny mewn oes lle, yn ôl yr arbenigwyr, doedd poblogaeth Prydain gyfan ddim llawer mwy na 4,000. Ein barn ni, nad ydym arbenigwyr o unrhyw fath yn y maes hwn, yw mai drwy chwys corfforol y gwnaethpwyd hyn. Credwn i'r meini hirion gael eu llusgo i'r dewis fan lle tyllwyd lle yn barod iddynt gan adael iddynt, fwy neu lai, syrthio i mewn i'w lle yn y tyllau. Yna fe'u gorchuddiwyd gyda pridd a cherrig mân cyn llusgo'r capfaen i'w le. Yna gellid clirio'r cerrig mân a'r rwbel.

Mae'r dadlau ynglŷn â phwy oedd yr adeiladwyr yn parhau, ond gwyddom bellach o ymchwil DNA ym mhrifysgol Rhydychen ein bod ni, y Cymry Cymraeg, yn frodorol i'r rhan hwn o'r byd ers cyn oes y meini hyn.

Yn ardal Pentre Ifan, Sir Benfro, mae gwyddonwyr wedi canfod tystiolaeth DNA sy'n cysylltu canran uchel o blant ardal gyfagos, sydd â mam-gu yn wreiddiol o'r ardal, gydag adeiladwyr y gromlech enwog chwe mil o flynyddoedd oed sydd yno. Dyna gysylltiad uniongyrchol â'r gorffennol.

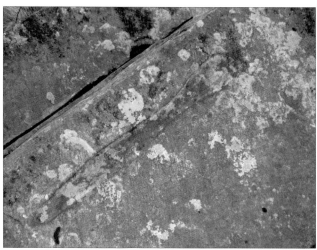

Maen y Cleddau, Abermo – Gweler Tudalen 54

Meini Arthog

Mae'r tirwedd sydd rhwng y Fawddach a mynydd Trawsfynydd, sydd yn un o'r mynyddoedd llai ar odre Cader Idris (peidier cymysgu a phentref Trawsfynydd), yn fyw o olion cyntefig y Brythoniaid. Wrth gerdded ar hyd y tiroedd hyn gall dyn ymdeimlo yn llwyr â'i orffennol a mwynhau naws ac ysbryd yr oes cyn hanesyddol.

Carneddau Llyn Gwernan

SH 696 166   *2 Fileniwm Cyn Crist*

Dyma ddechrau'r daith ar hyd y Ffordd Ddu, o Ddolgellau, drwy Islaw'r Dref, heibio Cregennan, am ddyffryn Dysynni. Yn yr hen amser ymestynnai'r daith o'r afon Hafren yr holl ffordd at y Ddysynni lle roedd hi'n bosib hwylio allan i Fôr Iwerddon.

Mae yr ardal o amgylch Llyn Gwernan, ychydig filltiroedd o Ddolgellau ac yn union o dan Cadair Idris, yn fangre hardd. Yn union o flaen y gwesty ger y llyn ceir camfa ar ddechrau y llwybr mwyaf serth o'r holl lwybrau i ben y Gadair. Dim rhyfedd i'r hen Gymry enwi alaw ddawns Gymreig ar ôl y llyn hwn.

Saif pedair carnedd rhyw hanner

milltir i'r gogledd-orllewin o Lyn Gwernan, ar dir corsiog llwm. Gwelir cylch o gerrig oddeutu 3 troedfedd o uchder wedi eu gosod ar eu cyllyll o amgylch y garnedd fwyaf, sydd yn sefyll ar ymyl bryncyn bychan. Ymddengys na fu cist yng nghanol y garnedd. Oddeutu can medr i'r gogledd fe welir carnedd arall debyg, ond tipyn yn llai. Mae'r cerrig o'r ail garnedd wedi eu dwyn ar hyd y canrifoedd ac felly nid oes gymaint o dystiolaeth o garnedd yn weddill bellach. O sylwi ar waliau cerrig cyfagos hawdd yw credu fod amaethwyr lleol wedi defnyddio llawer o gerrig y carneddau hyn i'w codi.

Dywed chwedloniaeth fod gwerin ofergoelus Dolgellau yn y dyddiau a fu yn ofnus wrth gerdded heibio i Lyn Gwernan gan fod llawer yn credu fod duwies y dŵr yn byw yn y llyn. Roedd cred gan lawer fod "dyn gwyrdd" yn byw yn y llyn, ac mai ef oedd yn gyfrifol am daenu'r niwl ar ben Cadair Idris ac yna yn ymhyfrydu wrth hel cyrff yr ymwelwyr a syrthiodd dros y dibyn i'w tranc yn y niwl i'w bwyta ger y llyn.

Adroddir chwedl arall fel y bu i drigolion lleol ar un noson niwlog glywed llais dwfn yn gweiddi o gyfeiriad y llyn, "Mae'r awr wedi dyfod, ond y dyn heb fynd heibio!". Gwelodd ambell un o'r dynion lleol ŵr mawr yn cerdded o amgylch y llyn ar frys a chredir mai y dyn hwn a waeddai yr un frawddeg drosodd a thro. Tawelodd y gweiddi am dri o'r gloch y bore. Y bore canlynol canfuwyd gŵr dieithr wedi boddi yn y llyn, wedi ei hudo yno mae'n debyg gan dduwies y llyn.

Yn 1823 canfuwyd torch aur o'r oes efydd yma, tystiolaeth gadarn fod ein cyndeidiau wedi bod yma.

Carneddau Llyn Gwernan

O garnedd ger Llyn Gwernan – daw hanes
 y dynion fu yma'n
 rhwygo mwy na cherrig mân;
 Yno rhoed stamp yr "Hunan".

Huw Dylan Owen

Carreg Cregennan, Arthog
SH 659 144   *2 Fileniwm Cyn Crist*

Mae Cregennan yn un o fannau cyfrin Cymru. Prin fod unlle yng Nghymru mor ogoneddus o hardd a thawel. Mae llynnoedd Cregennan oddeutu wyth can troedfedd uwchlaw lefel y môr, ac mae'r golygfeydd oddi yma tuag at y Fawddach ac Abermaw yn odidog. Does unlle tebyg. Carreg fechan yw Carreg Cregennan, ond carreg amlwg a rhwydd i'w chyrraedd. Cadarnha arbenigwyr fod y maen hwn wedi ei osod yma dros bedair mil o flynyddoedd yn ôl. Yr Ymddiriedolaeth Genedlaethol sydd berchen ar y tir bellach ac felly mae mynediad rhwydd a di-rwystr at y garreg.

Dywed rhai mai ystyr Cregennan yw Crog Gangen ac mai yma yr arferid crogi drwgweithredwyr yr ardal. Mae'n anodd credu hynny'r dyddiau hyn gan fod naws lled-ledrithiol i'r tawelwch pur a'r golygfeydd hudolus sydd yma. Ond nid nepell oddi yma mae Llys Bradwen a gerllaw hefyd mae Eglwys y Coelbrennau (neu Eglwys Foel). Cofnoda D. Williams yn ei gasgliad o Lên Gwerin Meirion yn 1898, y byddai drwgweithredwyr yn cael eu dedfrydu i farwolaeth yn Llys Bradwen, bwrid coelbrennau ar y drwgweithredwyr yn Eglwys y Coelbrennau ac yna fe'u crogid ar gangen o dderw yng Nghregennen.

Tybed sawl un o'r miloedd o ymwelwyr blynyddol i Gregennan sydd yn ystyried fod hanes o grogi drwgweithredwyr ac o ddarllen coelbrennau yn ofergoelus yn cuddio y tu ôl i'r wedd arwynebol.

Carreg Cregennan
(Crog Gangen)

Yma'n gêl tu ôl tawelwch – y llyn
llonydd, tu cefn harddwch
y cwm ac araf sigl cwch –
Yn llygru mae hyll hagrwch.

Huw Dylan Owen

Carreg Cregennan

Carreg y Big, Cregennan, Arthog
SH 661 138   2 Fileniwm Cyn Crist

Maen hardd mewn man tawel a hudolus yw Carreg y Big. Yn chwe throedfedd o daldra, mae'n rhyfeddol ei bod, wedi'r holl ganrifoedd (oddeutu 4,000 o flynyddoedd oed), yn dal mor drawiadol. Mae'r lleoliad yn anarferol ar dir gweddol wastad fel ag sydd yma, fel arfer canfyddir cerrig o'r math yma ar ymyl neu ar gopa bryncyn. Mae'n bosibl mai Maen Gobaith ydyw, sef yr enw a roddir ar garreg y tybir iddi gael ei gosod fel maen i arwyddo'r llwybr i rhyw fangre arall.

Mae'r enw, Carreg y Big, yn hynod gyffredin ar draws Cymru a'r gororau, ac mae nifer helaeth o feini tebyg yn arddel enw cyffelyb (Carreg Bica, Carreg Bigyn ac ati). Yn ardal Abertawe saif maen tebyg sy'n adnabyddedig dan ddau enw, sef Carreg Bica a Maen Bradwen. Rhyfedd yw cofio fod Llys Bradwen mor agos at Garreg y Big yng Nghregennan hefyd.

Dywed arbenigwyr y bu dau faen yma yn wreiddiol, ond yn 1822 fe daflwyd un o'r neilltu gan feibion ffermydd cyfagos wrth iddynt chwilio am grochan aur, er na chanfuwyd dim ganddynt. Roedd y math hwn o gloddio yn gyffredin iawn yn ystod y bedwaredd ganrif ar bymtheg a difrodwyd nifer fawr o henebion, ond cyffredin hefyd oedd y ffaith na ddarganfyddid dim.

Yn ôl chwedlau lleol dywedir bod Owain Glyndŵr wedi bod yn cuddio nid nepell o'r ardal hon pan ar ffo drwy Gymru. Difyr yw ceisio dychmygu'r olygfa – Glyndŵr a'i fardd, Crach, yn aros i ryfeddu gerllaw y maen hwn.

Carreg y Big

Mae naws lle llwm ynysig – ym min hwyr
   ger y maen hir unig;
Ond nef o fyd cyntefig
a balch sy' Ngharreg y Big.

Huw Dylan Owen

Bedd Cregennan, Arthog

SH 664 139   2 Fileniwm Cyn Crist

Yn agos at Garreg y Big, yng Nghregennan, fe welir twll yn y graig lle bu bedd. Hwn yw Bedd Cregennan.

Bellach mae'r cerrig oedd yn ei orchuddio wedi eu chwalu a'u codi'n garnedd gerllaw. Bedd-gist oedd yma. Bu i wŷr lleol chwalu'r bedd wrth gloddio am drysor ar yr un adeg ag y difrodwyd chwaer-faen Carreg y Big (1822). Mae'n debyg –iddynt ganfod "esgyrn gwynion" yn y bedd.

Mae'r arferiad o chwalu'r henebion i chwilio am drysor, neu i ymchwilio'n wyddonol, wedi gadael ei ôl yn drychinebus ar lawer o gromlechi a siambrau claddu. Ond wrth gwrs, mae dadl fod ein cenhedlaeth ninnau drwy gloddio'n archeolegol yn dinistrio tystiolaeth a allasai fod yn bwysig i archeolegwyr y dyfodol i'w canfod a'u dadansoddi'n llawer gwell. Cwestiwn arall eto yw a ddylid codi cyrff a gladdwyd yn ofalus gan rywrai, pe digwyddodd hynny filoedd o flynyddoedd yn ôl neu y llynedd.

Hola rhai am pwy a gladdwyd mewn bedd fel hwn. Awgryma arbenigwyr fod maint y gwaith a'r drafferth o greu'r fath fedd yn awgrymu mai corff unigolyn o bwys fu yma, brenin o bosib.

Bedd Cregennan

Yn y cyntefig unigedd – a'i daw
     mae hen deyrn yn gorwedd;
   Yn yr hwyr teimli drwy'r hedd
   rhyw arswyd ar ei orsedd.

           Huw Dylan Owen

Carneddau Hafotty Fach, Arthog
SH 663 135   *2 Fileniwm Cyn Crist*

Yma, a'r Tyrrau Mawr yn cysgodi Llyn Cyri uwchlaw'r groesffordd sydd yn cyfeirio unai at y Ffordd Ddu i'r gorllewin, neu at Gregennan i'r Gogledd, neu at Ddolgellau, ynghudd y tu ôl i'r wal gerrig ar ymyl y ffordd mae olion hen garnedd fawr gron. Ymdebyga i Fwlch y Rhiwgyr ar odre'r Rhinogau (gweler Tudalen 58), gan mai prin yw'r olion amlwg bellach ym Mwlch y Rhiwgyr hefyd. Fodd bynnag, oddeutu hanner can medr ymhellach tua'r dwyrain, i lawr y dyffryn am Ddolgellau, mae nifer o gerrig fel petaent yn chwarae mig yn y brwyn (gweler y llun ar y chwith). Gyrr miloedd heibio i'r garnedd a'r cerrig yma yn flynyddol, ond prin yw'r rhai a ŵyr am eu bodolaeth dybiwn ni.

Gallwn ddychmygu i hon fod yn garnedd bwysig oherwydd ei lleoliad ar flaen y dyffryn sydd yn rhedeg i lawr am Ddolgellau. O ran ei maint mae'n siŵr fod yr olygfa wedi bod yn un ryfeddol i'r pererin wrth iddo ddringo i fyny o Islaw'r Dref a'r hen garnedd fawr Hafotty Fach yn tra arglwyddiaethu ar y tirlun.

Dywed hanes wrthym fod peth difrod wedi ei achosi i'r garnedd ychydig ganrifoedd yn ôl gan amaethwyr lleol a fu, eto fyth, yn dwyn cerrig ohoni, a'i bod hefyd wedi cael ei defnyddio yn ddiweddarach fel talwrn i ymladd ceiliogod.

Cylch Arthog, Arthog

SH 652 139   2 Fileniwm Cyn Crist

Siambr gladdu sydd yma yn hytrach na chylch seremoni, ond mae cyn lleied yn weddill nes ei gwneud bron yn amhosibl bod yn sicr. Mae 4 carreg, oddeutu 1 medr o hyd, mewn bwa-gylch 4 medr o ddiamedr, ac mae cerrig eraill yn creu mynedfa at y bwa rhyfeddol hwn. Mae'n bosibl fod y ddwy garreg sydd oddi allan i'r bwa wedi eu symud er mwyn bod yn rhan o wal sych gyfagos (sydd wedi diflannu bellach). Mae carreg wen (quartz) yma hefyd. Cofnododd Wynne o Beniarth fod rhai cerrig wedi eu dwyn o'r cylch yn ei oes ef (ysgrifennai yn 1850), a'i fod yn sicr i gerrig eraill gael eu symud cyn hynny. Yn wir, dywed Bowen a Gresham ei bod yn amhosibl datgan yn bendant beth sydd yma a'i bod yn bosibl hyd yn oed fod y garreg wen wedi ei gosod yma yn gymharol ddiweddar. Gan bwy ac i ba ddiben – dyn a ŵyr.

Hyfrydwch pennaf y cylch hwn yw ei leoliad hyfryd a'r olygfa wych ymhell dros y môr tuag at Ynys Enlli. Mae teimlad o ryddid yma.

Y Ladi Wen

Ei gwarchod yn gatrodol ar y llain
wna'r rhai llwyd yn wrol,
A'i rhyw deg ar lyfnder dôl –
yn wen – yn un wahanol.

Huw Dylan Owen

27

Maen Du / Waen Bant / Planwydd Helyg, Arthog
SH 657 142   *2 Fileniwm Cyn Crist*

Ar fryncyn bychan ger y Ffordd Ddu fe welir y Maen Du sy'n sefyll yn dalsyth a disymud ers oddeutu pedair mil o flynyddoedd. Mae'r cen sydd wedi tyfu drosto ac olion troelli'r defaid a chwyrlio'r gwynt yn y gwair o'i amgylch wedi rhoi gwedd liwgar i'r Maen Du.

    Yn draddodiadol defnyddir tri enw gwahanol wrth gyfeirio at y garreg, Y Maen Du, Waen Bant a Planwydd Helyg. Cyfeiria'r Maen Du, mae'n debyg, at y Ffordd Ddu sy'n ymlwybro drwy'r mynyddoedd hyn o Ddolgellau draw am ddyffryn Dysynni. Mae meini hirion ar hyd y ffordd yma o ochrau Dolgellau hyd at Fedd y Brenin a thu hwnt. Awgrymir felly mai "Meini Gobaith", neu "Meini'r Brenin" ydynt (meini i ddangos y ffordd). Mae'n werth nodi fod dwy ochr i'r maen yn wastad a bod yr ymyl rhyngddynt, o edrych o gyfeiriad Cregennan, yn anelu ar hyd y Ffordd Ddu.

    Saif y maen yn 1.9 medr o daldra ac yn amlwg i unrhyw deithiwr ei weld. Wrth sefyll ger y Maen Du gellir gweld Cylch Arthog yn glir. Mae'r olygfa yn odidog gyda'r Tyrrau Mawr bron yn ymddangos yn sinistr wrth daflu'i gysgod dros y tirwedd yn gyfan.

Maen Du

Rhywfodd dim ond y brefu glywan' nhw
A threigl nant yn canu;
I minnau 'dweud' mae'r Maen Du,
Ei fawredd sy'n llefaru.

Huw Dylan Owen

Eglwys Coelbrennau / Eglwys Foel, Arthog
SH 650 136   2 Fileniwm Cyn Crist

Ar ymyl Afon Arthog, ymhell islaw Cadair Idris saif gweddillion cylch caeëdig Eglwys Coelbrennau. Yma fe welir olion hirgrwn lle bu wal o gerrig cyn i'r meini gael eu cludo ymaith i adeiladu'r bwthyn cyfagos.

Mae peth anghytuno ynglŷn â'r enw Eglwys Coelbrennau (dywed rhai Eglwys Coel) neu Eglwys Foel. Dywed ambell i awdurdod yn y maes mai Eglwys Coel yw'r enw gan restru chwedlau yn ymwneud â'r fan. Dywed eraill mai ffolineb yw yr enw Eglwys Coel ac na fu eglwys yn agos i'r fan erioed. Awgryma rhai fod ffermdy lleol a elwir Pant-y-Llan wedi arwain trigolion i gymryd yn ganiataol fod eglwys wedi bod yn y cyffiniau. Eglwys Foel ddywed Mapiau'r Ordnans.

Fodd bynnag, caniatâ yr enw Eglwys Coel ac Eglwys Coelbrennau i ni fwynhau'r chwedlau sy'n bodoli. Dywed rhai mai yma y byddai'r derwyddon yn taflu coelbrennau ar y drwgweithredwyr a gafwyd yn euog yn Llys Bradwen gerllaw cyn eu cludo i'w crogi yn Nghregennan.

Dywed chwedl arall fod gŵr o'r enw Coel, wedi byw yma ac mai ei ferch Elen, fu'n llongyfarch Cystennin, yr ymerawdwr Rhufeinig. Dywed y chwedl fod Cystennin wedi cynnig unrhyw beth a fynnai i Elen a'i bod hithau wedi gofyn am gant o wŷr arfog. Aeth Elen a'i chatrawd i Gannan a chael gafael ar y groes y croeshoeliwyd Iesu arni.

Dywed chwedl arall, eto fyth, mai'r Coel hwn y sonnir amdano yn yr hwiangerdd Saesneg, "Old King Cole was a merry old soul..."

O gofio'r chwedlau, pa ryfedd ein bod ni yn ffafrio galw'r cylch hwn yn Eglwys Coelbrennau?

Eglwys Coelbrennau

Heno'n llwyfan dy hunllefau – cei weld
cwrs dy oes a d'angau
a hen swyn yn agosau
heno'n Eglwys Coelbrennau.

Huw Dylan Owen

Llys Bradwen, Arthog
SH 675 142   I Mileniwm Cyn Crist

Prin ugain medr oddi wrth Afon Arthog saif gweddillion Llys Bradwen, llys a fu'n sefyll yma ers ymhell cyn i'r Rhufeiniaid gyrraedd Prydain. Ond fe ddefnyddid Llys Bradwen drwy gyfnod concwest y Rhufeiniaid a chanfuwyd crochenwaith Rhufeinig yn y fan. Olion adeiladau sydd yma ac fe welir cerrig megis seiliau i furiau'r llys yn creu dau lecyn petryal ar y tir. Lleolir y llys mewn man cudd a chysgodol a awgryma y gallai fod yn amddiffynfa i bennaeth llwyth.

Mae cymysgedd o chwedloniaeth a hanesion lu yn perthyn i'r man hwn a bery i ni sylweddoli pwysigrwydd y lleoliad i'n cyndeidiau.

Dywed chwedloniaeth wrthym fod Ysbwch a'i fab Ysbwys wedi gadael Sbaen gyda byddin Aurelius Ambrosius ac Uther yn y flwyddyn 466 Oed Crist a'u bod wedi aros yn Moelysbiddon. Wedi i Ysbwch a'i fab roi cymorth i Aurelius adennill ei goron oddi wrth Gwrtheyrn, gwobrwyodd Aurelius hwynt drwy roi tiroedd Talybont ac Ystumaner iddynt. Daeth y teulu yn Arglwyddi Meirionnydd a daeth Mael ap Bleddyn, un o ddisgynyddion Ysbwch, a'i fab, Bradwen, i fyw i'r llys yn oddeutu 1100. Dywed rhai fod Bradwen yn byw yn ogystal mewn man a elwid yn Plas yn Dre yn Nolgellau. Yn llawysgrif Llanforda (cyfnod Iorwerth I) cofnododd Iorwerth ap Llywelyn ap Tudur linach Bradwen fel a ganlyn: Bradwen ap Mael ap Bleddyn ap Morudd ap Cynddelw ap Cyfnerth ap Cadifor ap Run ap Mergynawe ap Cynfawr ap Hefa ap Cadifor ap Maeldaf hynaf ap Unweh Unarchen ap Ysbwys ap Ysbwch.

Ceir cyfeiriadau at ryfelwr o'r enw Bradwen yn Y Gododdin, chwedl Culhwch ac Olwen ac yn Englynion y Beddau o Lyfr Du Caerfyrddin, ond anodd fyddai profi mai'r un Bradwen yw pob un ohonynt.

Priododd merch Bradwen, Arddyn, gyda Madog ap Ednywain Bendew a bu eu mab hwythau, Ednywain ap Bradwen yn filwr enwog. Dywedir mai "ei arfbais oedd tair neidr ariannaidd mewn cwlwm trionglog yn y maes rhuddgoch" a disgrifiwyd yr arfbais mewn cerdd ganrifoedd yn ddiweddarach

Llys Bradwen, Arthog

gan Ieuan ap y Bedo Gwyn (gweler ar y dudalen nesaf). Mae'r arfbais yn ffurf ar gylchoedd pleth 'Borromean'. Defnyddir cylchoedd o'r fath yn aml fel symbol o nerth mewn undeb gan fod y tri cylch yn anwahanadwy, ond pe tynnid un o'r cylchoedd byddai'r ddau arall yn rhannu.

Cofnododd Robert Vaughan, o'r Hengwrt, fod Ednywain ap Bradwen yn fyw yn 1137 a chadarnhaodd eraill fod Ednywain wedi cyfoesi gyda'r tywysog Gruffudd ap Cynan (1054-1137). Cofnodwyd hefyd fod Ednywain yn berchen ar "oll o gwmwd Talybont oddigerth y Nannau a thiriogaethau'r tywysog, a'r rhan fwyaf o Gantref Ystumaner." Enwid y teulu hwn yn "un o bymtheg llwyth Gwynedd" a bu iddynt fod yn gefnogol tu hwnt i'r tywysogion Cymreig. Er hynny, yng nghofnodion brenin Lloegr, Iorwerth I, gwelir fod Llewelyn ap Tudor ap Gwyn ap Peredur ap Ednywain ap Bradwen a adnabyddid fel Arglwydd Talybont, wedi talu gwrogaeth i'r brenin.

Dywedir fod disgynyddion eraill wedi ymladd ochr yn ochr â Glyndŵr a chofnodwyd fod un o linach Ednywain, sef Ednyfed ab Aron, wedi cuddio Glyndŵr a'i gynnal a lluniaeth mewn ogof ym min y môr islaw Llanfendigaid. Gelwir yr ogof honno hyd heddiw yn Ogof Owain.

Aeth y teulu, gyda methiant rhyfel Glyndŵr, i fyw i Ysbyty Ifan ac yna i'r Bala. Daeth rhai yn Grynwyr (credir fod Rowland Ellis, y Crynwr o Brynmawr uwchlaw Dolgellau, yn hanu o'r un llinach), ac aethant i'r Amerig ac oddi yno aeth rhai i fyw i Jamaica lle mae un rhan o'r teulu yn byw o hyd. Yn wir, eiliadau o chwilio'r we sydd ei angen i ganfod llinachau lu gan Americanwyr sydd yn honni perthynas â theulu Bradwen.

Aeth Daniel Humprheys, un o ddisgynyddion llinach Bradwen, draw i Bennsylfania yn 1682. Erbyn 1793 roedd ei ŵyr, Joshua Humphreys yn bensaer llongau o fri i lynges yr Amerig ac fe'i gelwir hyd heddiw yn "the Father of the American Navy". Bu mab Joshua hefyd yn bwysig yn hanes yr Amerig a bu'n gadfridog uwch-gapten, Major-General Humphreys, enwog ym mrwydr waedlyd Gettysburg.

Dywed traddodiad hefyd y byddai L. Morris yn 1808 yn pregethu'r Efengyl yn Llys Bradwen i nifer fawr o dyrfa, a'i fod yn pwyso ar rai o'r meini tra'n areithio. Dywed traddodiad arall fod y llys hwn wedi gweithredu fel llys barn i ddedfrydu drwgweithredwyr yr ardal yn llawer mwy diweddar na chyfnod chwedlonol Bradwen.

Ni wyddom wir hanes Llys Bradwen a'i ddeiliaid, ond gwyddom fod y llys hwn wedi bod yma ers cyn oes y Rhufeiniaid yng Nghymru ac o bosibl ers llawer iawn ynghynt.

I Dafydd ap John ap Dafydd Llwyd
o Nantymynach, Mallwyd

Prydwalch Ednowain Pyradwenn,
Pur ddeunydd brenhinwydd hen,
Tair neidir mewn tir, a nodau,
Trystan, sy'n darian dau.

Detholiad o gerdd gan Ieuan ap y Bedo Gwyn yn 1538

Llun o arfbais Ednywain ap Bradwen

Bron Llety Ifan, Arthog
SH 633 126   2 Fileniwm Cyn Crist

Ar ben bryn bychan rhwng Bron Llety Ifan a Chyfannedd Fawr mae carnedd gron oddeutu chwe medr ar ei thraws sydd yn pwyso ar slabiau o gerrig enfawr. Mae olion bedd gist yng nghanol y cylch ac mae meini o'i hamgylch yn sefyll mewn dull 'cwrb'. Lleolwyd y cylch hwn o fewn tafliad carreg i graig ar ben y bryn sydd a hollt naturiol ynddi. Gall yr olygfa hyfryd beri i rhywun anghofio edrych yn fanylach, ond fel y gwelir yn y llun ar dudalen 35, drwy edrych yn fanwl yn syth drwy'r hollt fe welir Ynys Enlli ar y gorwel. Yn agos at y cylch mae craig fawr yn sefyll ei hunan gyda silff arni fel petai rhywun wedi creu sedd i eistedd arni. Ar y garreg hon gwelir marciau cwpan, sef olion naddu yr hen bobl.

Fferm Cyfannedd Fawr oedd cartref y bardd Morris Jones – Morus Cyfannedd (1895 – 1982). Symudodd Morus i Cyfannedd Fawr yn 1910 ac yno y bu ar hyd ei oes. Bu'n briod â chwaer Hedd Wyn, roedd yn genedlaetholwr ac yn ŵr diwylliedig iawn. Amaethodd y tiroedd yn yr ardal hon o'i ddyddiau ysgol hyd at ei ymddeoliad. Cyhoeddodd ddwy gyfrol o'i waith barddonol. Dyma ddetholiad o'i gerdd, "Cadwynau":

> Eu deunydd a roed ynof
> Yng nghroth fy nghreu;
> Ohonof fe'u dirwynwyd
> Yn dynn amdanaf
> O wawr hoen hyd hwyr einioes.

Roedd gan Morus gydymdeimlad amlwg â'r tirlun, ei fro a'i iaith. Byddai'n ddifyr gwybod a oedd Morus, fel nifer o amaethwyr eraill, heb weld gwerth yn yr henebion sydd yn frith yn ardal Cyfannedd, ynteu a oedd ganddo ychydig mwy o barch at y meini hynafol?

Cyfannedd

Tybed a welaist ti heibio'r cerrig
cywrain Morus? Yno
rhodiaist, ai her i'th gredo,
yr hen frawd, oedd rhin y fro?

Huw Dylan Owen

Meini Bryn Seward, Arthog
SH 626 117   *2 Fileniwm Cyn Crist*

Mae'r ffordd hen, sydd yn uchel uwchben y môr, rhwng Cregennan a Llwyngwril yn ein harwain heibio fferm Cyfannedd Fawr ac ymlaen tuag at Bedd y Brenin. Dyma'r ffordd a ddefnyddid gan bobl yr oes efydd, y ffordd a ddefnyddiodd y Rhufeiniaid ddwy fileniwm yn ddiweddarach, y ffordd a gymerodd y Cymry canoloesol a ddefnyddid wedyn gan ein cyndeidiau yn y ddeunawfed ganrif gyda'u ceffylau a'u certiau a'u porthmona. Ar hyd y ffordd mae llawer iawn o feini hirion.

Wedi pasio Cyfannedd Fawr, ar lethrau Bryn Seward, mae nifer fawr o garneddau ar hyd y tiroedd o amgylch. Ond y meini hyn ar ymyl y ffordd aiff a'n bryd ni. Dau faen tua dwy fedr o daldra yr un ydynt, a'r ddau o fewn llai na hanner can medr i'w gilydd.

Gallasai'r meini hyn fod yn "Feini Gobaith" i ddangos y ffordd i'r pererin at Fedd y Brenin neu'r teithiwr cyffredin. Ond anodd yw credu hynny gan eu bod mor agos at ei gilydd. Awgryma'r ffaith fod y ddau faen wedi eu lleoli mor agos i'w gilydd fod rhyw reswm arall am eu bodolaeth, rheswm seremonïol o bosib, neu, fel a awgrymwyd gan ambell awdur, rhesymau swyngyfaredd.

Tristwch mawr yw fod rhywrai wedi penderfynu gadael eu marc hwythau ar y meini hyn yn ein oes cyfoes ni. Yng ngwanwyn 2005 roedd olion graffiti ar hyd y leiaf o'r ddwy garreg, olion a ddangosir yn y llun ar y dudalen nesaf.

Fodd bynnag, o weld y graffiti ar y maen fe'n hysgogwyd i gwestiynu ein hagweddau tuag at y meini. Tybed ai un o'r rhesymau am godi carreg ar ei hymyl fel hyn filoedd o flynyddoedd yn ôl oedd i gyfleu i'r byd a'r betws "Bum i yma", neu "I woz ere" fel y dywedodd rhyw Kilroy rhyw dro. Tybed a ydym ni yn rhy barod i feirniadu o bryd i'w gilydd, heb ystyried?

Nid ydym am un funud am gyfiawnhau rhoi graffiti ar feini hirion nag unrhyw le arall. Yn wir, credwn fod angen gwell gwarchodaeth ar y meini hyn ac ar henebion yn gyffredinol. Ond ar yr un pryd, mae angen deall meddylfryd yr arlunydd graffiti – tybed ai pwrpas codi maen oedd i geisio dweud "Bum innau yma"?

Meini Bryn Seward

(Mae graffiti ar un o'r meini)

Ai hy sarnwaith sy' arni – neu olion
     tystiolaeth goroesi
yw'r garegog halogi?
Staen yw'r maen: "Yma bum i".

Huw Dylan Owen

Carnedd Goleuwern, Arthog
SH 622 116   *2 Fileniwm Cyn Crist*

Ychydig i'r de o Bryn Seward, nid nepell o'r hen ffordd mae hen garnedd fawr sydd wedi dirywio dros y blynyddoedd i'w sefyllfa druenus heddiw. Hon yw Carnedd Goleuwern. Yn oddeutu 4 troedfedd o uchder ac ambell i faen cwrb yn dal i'w weld yma ac acw, mae gwagle amlwg yng nghanol y garnedd lle y cloddiwyd yn y gorffennol. Canfuwyd esgyrn dynol yma gan yr archeolegydd W.Wynne Foulkes yn 1852. Yn ogystal â chanfod esgyrn agorwyd y bedd-gist yng nghanol y garnedd gan ganfod pridd melyn ac un garreg fechan bigog.

O edrych yn fanwl yn y llun gweler meini Bryn Seward (gweler Tudalennau 36 – 37) yng nghysgod y goedwig.

Wrth gerdded drwy'r brwyn fe welir fod carneddau eraill o fewn ychydig fedrau i'r garnedd hon yn creu rhyw fath o fynwent gynoesol. Mae nifer fawr ohonynt a phob un yn dilyn yr un patrwm o garnedd wedi ei difrodi a'i chanol yn wag.

Nid oes llawer o olion amlwg yma bellach i gynhyrfu'r dychymyg ac i roi syniad i ni o'r hyn a fu'n digwydd yma filawdau yn ôl. Ond o gofio oed y garnedd, ei thystiolaeth am ein cyndeidiau a'i rhamant, a'r ffaith iddi oresgyn oesau lawer a thrais dynol mae'n bwysig cofio am ei bodolaeth a dathlu ei bod yma o gwbl.

Gwely'r Meibion, Arthog
SH 619 113   2 Fileniwm Cyn Crist

Does dim cofnod pendant yn unman mai'r meini hyn yw Gwely'r Meibion. Mae degau o garneddau a chromlechi yn yr ardal a chyda hwynt mae amrywiaeth o enwau megis y Gistfaen Hir ac ati. Ond yn sicr mae Gwely'r Meibion yn enw ar feini yn yr ardal hon, ac hefyd yn enw ar dir sydd ychydig uwchlaw'r meini hyn tua'r mynydd.

Mae'n anodd peidio gweld y meini gan eu bod yn llythrennol ar ymyl y ffordd gyda'r olygfa ryfeddaf o foryd Abermaw a Phen Llyn y tu ôl iddynt. Ar ddiwrnod braf, yn uwch i fyny'r mynydd y tu ôl i'r meini hyn gellir gweld Bryniau Wiclow yn yr Iwerddon dros bedwar ugain milltir i ffwrdd. Mae ôl naddu ar un o'r meini, olion tebyg i'r rhai ar un o'r meini yn Waun Oer.

Yma roedd Morus Cyfannedd yn teithio'n rheolaidd ac addas yw cofio detholiad o'i gerdd i'r "Hen Lwybrau" pan yn edrych ar Wely'r Meibion.

Hen Lwybrau
(Detholiad)

Yn nhawelwch unigeddau
   Eithaf eu diarffordd blwy,
Lle mae ango'n cofio'r beddau
   Lle y disgynasant hwy.

Morus Cyfannedd

Meini Waun Oer, Arthog
SH 617 112   *2 Fileniwm Cyn Crist*

Ar y tir agored hwn, sydd a'i olwg dros Fôr Iwerddon a'r gwyntoedd yn fferru'r gwaed, mae rhes o feini mewn llinell syth, dyma Meini Waun Oer. Mae rhes o feini fel hyn yn beth prin iawn yng Nghymru ac fe gydnabyddir gan yr arbenigwyr fod Meini Waun Oer yn unigryw.

Anodd credu mai Meini Gobaith i ddangos y ffordd i'r teithiwr sydd yma. Mae pump maen yma mewn rhes, tri yn dal i sefyll a dau yn llorweddol, ac mae'r rhes yn sefyll yn gyfochrog â'r ffordd sydd oddeutu ugain medr i ffwrdd. Tua thrigain medr sydd o un pen i'r rhes i'r llall, ond nid yw'r pellter rhwng y meini unigol yn gyfartal â'i gilydd.

Clogfaen digon di-ffurf 1.5 medr o uchder yw'r maen cyntaf. Oddeutu saith medr i'r gogledd-ddwyrain mae slab sydd wedi syrthio. Byddai hon wedi bod yn 1.8 medr o uchder pan oedd ar ei thraed. Ar hyd y garreg hon mae marciau lu, fel a welir yn y llun ar y dudalen nesaf. Awgryma'r arbenigwyr ei bod yn bosibl mai naturiol yw'r rhan helaeth o'r marciau hyn, ond fod un marc cwpan artiffisial pendant hefyd ar y garreg.

Unarddeg medr ymhellach mae slab bigog yn sefyll 1.8 medr o uchder. Yn dilyn bwlch o ddwy fedr ar ugain ceir carreg fechan fain yn sefyll 1 fedr. Oddeutu un fedr ar bymtheg ymhellach wedyn mae'r garreg olaf, 1.6m o hyd, wedi cwympo. Awgryma rhai awduron fod wyth carreg wedi bod yma yn wreiddiol ac y byddai hynny wedi sicrhau fod y pellter rhwng y meini unigol yn fwy hafal i'w gilydd.

Fe welir rhesi o feini hirion o'r oes efydd yn Dartmoor, ond yn gyffredinol mae'r meini hynny'n fyrrach a'r rhesi yn llawer hirach. Yn yr Iwerddon fodd bynnag mae nifer o resi tebyg i hon. Mae o leiaf un arbenigwr wedi cymharu'r rhes i'r West Kennet Avenue ger Avebury drwy nodi fod ffurfiau'r meini yn "fenywaidd" ac yn "wrywaidd" bob yn ail o ran eu ffurf. Ymddengys y fath syniadau yn chwerthinllyd ar yr olwg gyntaf, ond wrth gymharu gyda meini eraill mae'n rhyfedd fod y meini mor wahanol i'w gilydd. Dywed arbenigwyr fod meini yn aml yn ymddangos yn ffalig, dalsyth, wrywaidd, tra fod eraill yn edrych fel menyw feichiog.

Naturiol yw ceisio dychmygu rheswm bodolaeth y fath res. Cred mwyafrif yr arbenigwyr mai seremonïol fyddai swyddogaeth y rhes hon, unai seremoni grefyddol i dduwiau na wyddom ni ddim amdanynt bellach, neu ar gyfer seremonïau swyngyfaredd. Un posibilrwydd arall yw fod y meini yn coffáu rhai a fu farw neu rhyw ddigwyddiad o bwys yn yr ardal.

Meini Waun Oer

Hen wylo sy'n fyw yn nelwau – meini
    y mynydd. Mae'r duwiau'n
angof, ond pery'r angau
    yn y cof i'w bywiocáu.

Huw Dylan Owen

Bedd y Brenin, Arthog
SH 634 115   2 Fileniwm Cyn Crist

Yng nghanol y goedwig, oddeutu chwe chan medr o'r ffordd uwchlaw fferm Cyfannedd Fawr mae Bedd y Brenin, carnedd fawr, rhyw 30 medr ar ei thraws, ond yn anffodus gwelodd amaethwyr lleol yn dda i godi wal drwy'i chanol. Cofnodwyd i gerrig gael eu dwyn o'r garnedd yn 1840 i godi'r wal bresennol ac i ragor o ddifrod gael ei wneud yn ystod yr ugeinfed ganrif. Yn 1851 cloddiwyd yma gan yr archeolegydd Mr Wynne Foulkes, ac o agor y gist yng nghanol Bedd y Brenin canfu garreg dair onglog gyda darnau mân o esgyrn wedi eu llosgi ar bob cornel ohoni.

Er fod y daith at Bedd y Brenin yn un galed ar hyd llwybr serth a mwdlyd, gwelir nifer o gromlechi a charneddau eraill ar hyd y ffordd.

Gwyddys na thyfai coed o unrhyw fath yn yr ardal yma pan adeiladwyd y garnedd hon ar hen groesffordd a hawdd yw dychmygu'r olygfa odidog a geir yma ar hyd arfordir Cymru a thraw at Iwerddon. Gallwn ddychmygu fod y bedd hwn ar gyfer unigolyn neu unigolion pwysig iawn. Tybed pwy oedd y brenin hwn?

Bedd y Brenin

Yno'n her pob gaeaf gerwin, – yno
        drwy dyner Fehefin;
    Yno'n bod drwy gŵyn bob hin,
    Yno mae Bedd y Brenin.
                              Huw Dylan Owen

Meini Parth y Gwyddwch / Gwastadgoed, Llwyngwril

SH 601 103   *2 Fileniwm Cyn Crist*

Uwchlaw Llwyngwril ac i'r un cyfeiriad â'r holl feini ym Mryn Seward a'r Waun Oer, mae rhes arall ychydig yn fyrrach ger Parth y Gwyddwch. Nid yw'r meini hyn mor amlwg i'r ymwelydd gan eu bod yn bell o'r ffordd gyfoes. Er hynny, o edrych yn fanylach fe welir fod holltau amlwg yn y tirwedd lle roedd safle'r hen ffordd. Mae carneddau i'w gweld ar bob ochr i'r hen ffordd, ond mae'r meini hyn yn llawer mwy trawiadol na'r carneddau. Saif y meini oddeutu hanner can medr o ymyl yr hen ffordd a gwelir fod y rhes yn pwyntio i'r un cyfeiriad â'r ffordd.

Unwaith yn rhagor rhaid cwestiynu swyddogaeth y meini hyn. Yn amlwg nid oeddynt yno ar gyfer dangos y ffordd, yn rhannol oherwydd bod dau faen mor agos at eu gilydd, ond hefyd gan nad ydynt yn union ar ymyl y ffordd. Hawdd yw gadael i'r dychymyg fynd yn drech na rheswm wrth ystyried hyn dros bedair mil o flynyddoedd yn ddiweddarach.

Mae'r maen mwyaf yma yn 1.4 medr o daldra a'r lleiaf bron yn fedr. Maent yn cyfeirio i'r de-orllewin yn yr un modd â meini Waun Oer a meini Bryn Seward, ond credir fod hynny yn fwy perthnasol i gyfeiriad y ffordd gerllaw nag unrhyw reswm arall.

Mae glesni'r ardal ddi-goed hon yn rhoi rhyw syniad i ni o'r olygfa fel ag yr oedd filawdau yn ôl ac mae'r hen ffordd sydd yma yn ein harwain drwy amser i fyd ein cyndeidiau a osododd feini Parth y Gwyddwch.

Meini Parth y Gwyddwch

Ein camre hyd hen heol y mynydd –
ger meini'r cynoesol
aiff a ni ar ffo yn ôl
i ffiniau ein gorffennol.

Huw Dylan Owen

Meini Parth y Gwyddwch, Llwygwril

Meini Dysynni

Nid yw'r meini hyn yn agos at ei gilydd ac felly bydd angen car a map i'w cyrraedd. Mae'r Groes Faen, fodd bynnag, ar ochr y ffordd fawr wrth ymyl Tywyn ac yn rhwydd i ymweld â hi. Tra yma dylid gwneud yndrech i ymweld â Chastell y Bere hefyd – man cyfrin a chyfareddol.

Yr Allt Lwyd, Llanegryn, Tywyn

SH 615 080   *2 Fileniwm Cyn Crist*

SH 614 077

SH 614 076

Mynydd yw'r Allt Lwyd sydd yn tra arglwyddiaethu dros Lanegryn a'r cyffiniau. Mae'n fynydd rhyfeddol o ran olion cyn hanesyddol gan fod yma dair heneb bwysig a nifer o rai eraill llai o'u hamgylch, ond dim ond rhan yw'r meini hyn o gynfas weledol yr ardal gan fod y golygfeydd cefndirol i'r darlun hwn yn ysblennydd. Ceir gwledd i'r llygad i bob cyfeiriad – dros Ddyffryn Dysynni, ar hyd bae Ceredigion, yn ogystal ag yn ôl am fynyddoedd Meirionnydd, Craig y Deryn, Mynydd Pennant (uwchben Ty'n-y-ddôl, cartref Mari Jones a'i Beibl), Cadair Idris, ac yn cuddio yng ngheg y dyffryn mae Castell y Bere, sef yr amddiffynfeydd olaf yng Nghymru dan arweiniad Dafydd, brawd Llywelyn ein Llyw Olaf, i gwympo i ddwylo'r Saeson yn 1283. Yn isel yng nghesail y mynydd mae fferm Cae'r Mynach, a fu'n eiddo i Abaty Cymer, Llanelltyd ger Dolgellau, yn yr un cyfnod a Chastell y Bere. Mae rhyw hud yn perthyn i'r lle hwn.

Mae'n debyg fod Cadfan o Dywyn yn arfer cerdded i ben rhai o'r bryniau hyn i edrych ar Enlli, y cyrchfan i bererinion, cyn iddo symud i fyw i Enlli yn ystod y chweched ganrif.

Yr heneb gyntaf a'r amlycaf yw carnedd gyda'r capfaen wedi ei agor yn ei ganol. Mae'n debyg fod rhywrai wedi cloddio tra'n chwilio am drysor yma rhyw ganrif yn ôl gan ganfod esgyrn a golosg. Oddeutu can medr i'r gogledd mae cromlech heb gapfaen arni. Mae'n rhaid gofyn i ble yr aethpwyd â'r capfaen gan nad oes angen amlwg am y fath faen yn lleol oherwydd fod digonedd o gerrig mwy addas ar gyfer walio o fewn cyrraedd rhwydd i'r fan.

Y drydedd heneb yw carnedd gylchog fawr sydd mewn lleoliad unigryw o anarferol gan ei bod, yn wahanol i garneddau arferol, yn amlwg i'r teithiwr diarwybod. Fel rheol gosodid y fath gylch o'r golwg ar ymyl bryn.

Mae'n amlwg fod yr Allt Lwyd wedi bod yn fangre bwysig iawn, os nad yn gysegredig, i'r hen bobl. Mae ôl gwaith yma, ôl llafur cariad sylweddol yn y cerrig a'r carneddau sydd i'w gweld ar hyd y mynydd cyfan. Tybed a oedd yma rhyw fath o addoldy – allor o gerrig mewn eglwys a wnaed o fynyddoedd, cymylau a'r gwair yn lliain i benlinio arno. Tybed nad oedd ein cyndeidiau angen addurniadau o aur ac arian yn gymorth i'w haddoli a bod y tirlun a natur yn ddigon iddynt.

Yr Allt Lwyd

Ceir ysgall yn lle allor, – hen dir llwm
    heb wydr lliw na marmor;
  Sŵn brefu, nid canu côr,
  Rhyw iasau, ond nid trysor.

                  Huw Dylan Owen

Waun Fach, Llanegryn
SH 594 048   2 Fileniwm Cyn Crist

Islaw'r Allt Lwyd rhwng Llanegryn a'r môr mae maen unig diarffordd – dyma faen Waun Fach.

O dderbyn barn yr arbenigwyr fod llwybr cynoesol wedi bodoli o ben uchaf yr afon Hafren yng nghyffiniau Llanidloes, yr holl ffordd at y môr yma ger Tywyn, yna gallwn ddamcaniaethu mai hon oedd un o'r meini olaf, os nad y maen olaf ar y daith i'r arfordir.

Saif y garreg hon dros hanner can medr uwchlaw lefel y môr a llai na dwy filltir o'r glannau.

Yn gefndir i'r llun gwelir rhai o fynyddoedd godidocaf de Eryri, Cadair Idris, yr Allt Lwyd, Craig y Deryn a Mynydd Pennant.

Prin yw'r ymwelwyr at y garreg hon bellach, ond tystia'r tir moel o amgylch gwaelod y garreg fod y defaid yn eithaf hoff ohoni.

Rhyfedd yw meddwl fod y garreg hon wedi sefyll yma, yn yr union fan hon, am bedair milawd.

Waun Fach

Fy hunan bum yno am funud fer
    wrth rhyw faen disymud;
    Ond i'r graig hen – ond ennyd
di-rif yw'r ganrif i gyd.

               Huw Dylan Owen

Cae Berllan – ger Craig y Deryn, Llanegryn

SH 662 079 *2 Fileniwm Cyn Crist*

Yn isel o dan Graig y Deryn yn Nyffryn Dysynni, nid nepell o hen Gastell y Bere, ac a fyddai yn yr hen amserau i'w gweld yn amlwg o ben yr Allt Lwyd, mae Maen Cae Berllan. Saif y garreg fawr hon ar groesffordd ac mae'n debyg ei bod yn wreiddiol wedi ei gosod yn fwriadol ar groesffordd. Ond cyflwr trist iawn sydd ar Faen Cae Berllan bellach gan fod rhywun rhywdro wedi penderfynu y byddai'r maen yn gwneud postyn llidiart da. Tyllwyd i mewn i'r garreg, fel y gwelir yn y llun ar y dde, a gosodwyd y glwyd yno i hongian. Yn aml fe dorrir y gwrychyn y tu ôl i'r maen hwn gyda pheiriant a phryderwn yn fawr y gallai peiriant o'r fath fod yn andwyol i faen a fu yma ers cyn oes amaethu. Eto'i gyd, efallai fod rhyw symbolaeth i'r adwy sy'n ein harwain i fyd nad yw'n bod mwyach.

Cae Berllan

Ar gau mae ffiniau'r gorffennol – i gyd,
ond mae giât achubol
a ddaeth i'n harwain o'r ddôl
i wanwyn byd gwahanol.

Huw Dylan Owen

Y Groes Faen Hir, Tywyn
SH 596 015   *2 Fileniwm Cyn Crist*

Ar y chwith wrth ymyl y ffordd fawr rhwng Bryncrug a Thywyn y saif y maen hir hwn – dyma'r Groes Faen Hir. Maen rhyfedd ei ffurf ydyw gan ei fod yn onglog gyda mwy o wynebau iddo ar ei waelod nag y sydd yn uwch i fyny, ond mae'n debyg mai trwy weithred naturiol daeareg y digwyddodd hynny (yn yr un modd ac y ffurfiwyd y meini ar Rhyd Sarn y Cewri [*Giant's Causeway*] yng Ngogledd Iwerddon). Mae'r maen yn 2.5m o uchder ac mae ei ben wedi ei dorri i ffwrdd.

Digon naturiol oedd i'n cyndeidiau ofergoelus i greu chwedlau o amgylch unrhyw beth nad oedd yn ddealladwy iddynt, ac felly y tyfodd y chwedl am Wiber Ynys y Maengwyn.

Arferai gwiber a drigai ers talwm yng nghoed Ynys y Maengwyn ymosod ar blant bychain yr ardal a'u bwyta. Bob nos am flynyddoedd bu gwŷr lleol yn gweddïo o amgylch y garreg hon am waredu'r ardal o'r wiber, ond yn ofer. Wedi hir drafod gosodwyd tri pigyn-saeth dur mewn tyllau ar ben y garreg a thaenwyd brethyn coch dros y pigau i'w cuddio. Y diwrnod canlynol pan ddaeth y wiber heibio fe'i cynddeiriogwyd gan y brethyn coch ac ymosododd ar y maen. Trywanodd ei hun yn angheuol ar y pigau dur a chafwyd diwedd ar ddychryn a loes yr ardal gan y wiber.

Mae'r maen hwn mae'n debyg yn 4,000 o flynyddoedd oed, ond mae'n anodd iawn rhoi dyddiad cywir gan na fu unrhyw gloddio ymchwiliadol yma hyd yn hyn. Gwybyddir bod gŵr lleol wedi dwyn y garreg yn 1840 a'i gosod fel capan drws. Ond bu i un o deulu bonheddig Ynys Maesgwyn erlid y lleidr a mynnu dychwelyd y garreg i'w man priodol. Dengys hen gofnodion y bu maen arall tebyg nid nepell o'r Groes Faen Hir, ond iddo gael ei symud gan rywrai. Yn ystod ein hymweliad ni roedd maen hir tebyg ei ffurf i'r Groes Faen Hir ar ei lorwedd ym môn clawdd cyfagos.

Wedi i ni dynnu'r llun ac o edrych arno'n fanwl fe'n rhyfeddwyd o weld yr hen declyn fferm rhydlyd yng nghefndir y llun a hwnnw ar ffurf draig neu wiber.

Y Groes Faen Hir

Ar fidog yn cynddeiriogi – yn groch
ei sgrechian – a glywi
y reg ym melltith ei chri?
Hen synau bro Dysynni.
Huw Dylan Owen

Eglwys y Gwyddelod, Cwm Maethlon, Tywyn
SH 663 002   2 Fileniwm Cyn Crist

Yng Nghwm Maethlon rhwng Pennal a Thywyn, ymhell uwchben y ffordd gyfoes, mae hen ffyrdd cynoesol yn gwau drwy'r mynyddoedd. Yma, ble mae nifer o'r hen lwybrau yn cyfarfod ar hen groesffordd mae "Eglwys y Gwyddelod", neu "Eglwys Gwyddelod".

Cylch cerrig bychan, oddeutu wyth medr ar ei draws gyda phump carreg yn sefyll a dwy arall wedi eu hanner gorchuddio gan y gwair a'r llystyfiant ydyw.

Cerrig bychain ydynt ar y cyfan, gyda'r fwyaf ohonynt yn brin fedr o uchder. Nid oes olion o dwmpath yma er fod arbenigwyr yn datgan mai cylch-garnedd yw ac mae carneddau eraill yn amlwg yn yr ardal. Ychydig yn uwch ar fryncyn gerllaw ceir craig fawr a charreg wen ('quartz') ynddi. Hefyd, mae carreg wen lorweddol i'w gweld yn cuddio yn y gwair yn union yng nghanol y cylch.

Saif y cylch mewn llecyn naturiol wastad uwchben y dyffryn gyda golygfeydd mawreddog oddi yno. Mae'n fan hudolus a llonydd, prin fod sŵn o gwbl ar wahân i nodau ambell aderyn a siffrwd y brwyn.

Felly, sut daeth yr enw rhyfedd hwn i fod? Fel rheol cysylltir y Gwyddelod gyda chutiau a muriau ac fe ddefnyddiwyd y gair yn gyffredin wrth sôn am neu wrth ddilorni unrhyw beth a ystyrid yn ddiwerth. Dywed

rhai mai "gwŷdd", sef y gair am "coed" a geir yma. Rhyfedd hefyd i'r llecyn
hwn ddwyn yr enw Eglwys. Ond os mai eglwys oedd hon, tybed ai cyfeiriad
at arferion claddu ydyw?

Eglwys y Gwyddelod

Drwy faethlon werddon o harddwch – gwelaf
    ddigalon weithgarwch
rhai lleddf yn gwasgaru llwch
a'u galar yn ddirgelwch.
        Huw Dylan Owen

Meini Ardudwy

Ystyr Ardudwy yw "tir duw" ac yn wir nid yw hynny'n syndod, o ystyried nifer y cromlechi sydd yn yr ardal. Yma gwelir nifer o feini a chromlechi mawreddog a hardd, ond mae ambell un yn dal y dychymyg yn fwy na'r gweddill. Mae Carneddau Hengwm yn dywyll ac yn codi rhyw arswyd tra mae Bryn Cader Faner yn olau, yn agored ac yn goronog wych. Gellid gwneud taith gerdded faith, ond bendigedig ar hyd Ardudwy i weld y mwyafrif o'r meini.

Cerrig y Cledd / Maen y Cleddau, Abermaw
SH 642 197   2 Fileniwm Cyn Crist

Yng nghanol y goedwig uwchben Ffridd Rhos mae maen hir, amlwg i'r teithiwr ar lwybr y goedwig. Ar yr olwg gyntaf ymddengys mai maen hir unig ydyw, ond gydag ychydig o ymchwil a thrwy edrych yn fanylach canfyddir mai cylch cerrig sydd yma, neu gylch carnedd yn wreiddiol. Prin fod yr un garreg, ar wahân i'r un amlwg, fodd bynnag, yn llawer mwy na stwmp yn y gwair a'r mwsogl bellach.

Gorchuddir y maen hwn gyda'r mwsogl a'r cen a ddaeth gyda datblygiad y goedwig yn ystod ail hanner yr ugeinfed ganrif (llun ar y chwith).

Yn anffodus golyga'r goedwig binwydd hon nad yw'r olygfa a fu tuag at Cerrig Arthur a Bwlch y Rhiwgyr (gweler tudalennau 56 – 59) i'w gweled rhagor.

Ychydig yn uwch yn y goedwig mae Maen y Cleddau (gweler llun Tudalen 18), sef hen graig a chwalwyd gan rew yn oes yr ia, ac arni mae hollt naturiol a ymdebyga i fowld cleddyf. Nid oes unrhyw dystiolaeth i'r marc gael ei greu gan ddyn, ond mae'n bosib fod y ddelwedd wedi synnu

dyn cyntefig a'i fod wedi codi nifer o garneddau a chylchoedd yn agos ato yn fwriadol. Yr hollt ym Maen y Cleddau roddodd yr enw Cerrig y Cledd i'r cylch cyfagos hwn.

Cerrig y Cledd

Hud cudd sy'n y goedwig hen, – ni welwn
ddirgelwch y ddolmen;
Yno cei, tu ôl i'r cen
rin y dewin ar d'awen.

Huw Dylan Owen

Cylch Cerrig Arthur, Abermaw
SH 631 188   2 Fileniwm Cyn Crist

Nid cyd-ddigwyddiad mae'n debyg yw'r enw Sylfaen a roddwyd ar y fferm sydd yn agos at y meini hyn. Dywed traddodiad fod yr offeiriad lleol o'r Abermaw wedi penderfynu rhyw dro mai gwaith y diafol oedd cylchoedd cerrig a'u tebyg. Felly aeth i fyny'r mynydd gyda nifer dda o ddynion Abermo i osod sylfeini eglwys Gristnogol ar y safle.

Ni fuont wrthi'n hir gan i'r tywydd newid yn ddirfawr y diwrnod hwnnw ac yn fuan roedd mellt a tharanau yn ysgwyd y tir o'u hamgylch. Pan ddaeth mellten a tharo rhai o gerrig sylfaen yr eglwys arfaethedig gan eu chwalu, penderfynodd y dynion mai doeth fyddai ymadael a pheidio dychwelyd. Nid oes cofnod o ymateb yr offeiriad, ond tybiwn mai yn anfoddog y byddai wedi teithio gartref. Enwir y dyffryn lle y lleolir y cylch hwn yn Bwlch y Llan, ond ni wyddys ai cyfeiriad at yr eglwys arfaethedig sydd yma. Enw'r cae lle mae'r meini hyn yw Cae'r Cerrig.

Mae'n anodd gwybod yn union pwy neu beth yw'r Arthur yn fan hyn. Mae'r enw Arthur wedi ei gysylltu gyda nifer o feini cyffelyb mewn sawl man a hynny heb reswm penodol. Awgryma rhai y gallasai fod yna rhyw gysylltiad â'r brenin Arthur chwedlonol ac mai ei gleddyf ef holltodd y graig ym Maen y Cleddau (gweler Tudalen 18). Dywed eraill mai cysylltiad gyda phatrwm seryddol, Yr Arth, a geir yma. Efallai fod yna gysylltiad uniongyrchol gyda'r eirth a ddiflannodd o Gymru oddeutu 500 – 1,000 o flynyddoedd cyn Crist, ond a fyddent wedi cydfodoli gyda'r meini hyn am o leiaf fil o flynyddoedd. Ond credwn ni mai enw dychmygol a chamarweiniol ydyw sy'n gysylltiedig â'r olion cleddyf (cleddyf Arthur) yn Maen y Cleddau yr ochr draw i'r dyffryn.

Ceir golygfeydd godidog yma i lawr am Abermaw yn ogystal ag ymhellach dros y Fawddach a thua Chadair Idris. Mae'r llwybr hwn heibio i Fferm Sylfaen yn arwain ymlaen at Bwlch y Rhiwgyr (gweler Tudalen 58) a dychmygwn y byddai carnedd Bwlch y Rhiwgyr wedi bod yn drawiadol iawn oddi yma cyn i honno gael ei difrodi. Oddi yma hefyd gallasai'r dynion a gododd y meini hyn fod wedi gweld cylch Cerrig y Cledd (gweler Tudalen 54 – 55) yn ogystal â'r degau o henebion ar lethrau Cadair Idris ger Cregennan, yr ochr draw i'r Fawddach.

Cylch sydd yma ar ymyl yr hen ffordd, ond dim ond dau o'r meini sydd yn amlwg erbyn heddiw. Efallai mai porth i gylch mwy oedd y ddau hyn oherwydd, o edrych yn agosach, gellir gweld o leiaf bump maen arall yn cwblhau'r cylch sydd yn fwy na 14 medr ar ei draws. Ar ben y meini sy'n weddill gwelir holltau eglur. Cymerodd yr adeiladwyr gwreiddiol ofal mawr i sicrhau fod y cylch hwn wedi ei leoli ar dir gwastad. Mae'n siŵr fod gwastatau'r llethr hwn yn dipyn o gamp yn y dyddiau bôn-braich hynny.

Cylch Cerrig Arthur
(Ger Fferm y Sylfaen)

Er yr afiaith a'u crefydd – fe wylltiodd
   y felltith, a'r stormydd
  sigodd hyder â'u cerydd,
  Hen ffawd danseiliodd eu ffydd.

Huw Dylan Owen

Bwlch y Rhiwgyr, Abermaw
SH 627 200   *2 Fileniwm Cyn Crist*

Dyma un o garneddau tristaf Meirionnydd. Gwelodd amaethwyr yn dda i ddwyn y cerrig a'i creodd yn wreiddiol i adeiladu wal gerrig i ddangos i'r byd mai nhw oedd piau'r tir. Mae'r amaethwyr rheiny a'u gorchestion wedi hen ymadael â'n byd mae'n debyg, ond erys y difrod a wnaed i Fwlch y Rhiwgyr.

Fel y gwelwch yn y llun roedd hon yn garnedd fawr iawn ac fe'i lleolwyd ar frig y bwlch rhwng Llawllech a Mynydd Egryn. Mae cylchedd y garnedd yn oddeutu 60 medr.

Bellach nid oes ond olion ar y ddaear i'n galluogi i adnabod gweddillion y garnedd gylchog hon. Olion ydynt a ymddengys yn amlwg pan mae eira yn orchudd tros y tir.

Oddi yma gellir edrych i lawr y dyffryn tuag at Gylch Cerrig Ffridd Newydd (gweler Tudalen 60). Er mai cyfyng yw'r olygfa, oherwydd fod y ddau fynydd bob ochr iddi, mae'r cylch yn hollol amlwg yn y canol. Mae'n bosibl fod Cylch Ffridd Newydd, felly, wedi ei leoli yn yr union fan honno oherwydd ei fod yn weledol o Fwlch y Rhiwgyr.

Mae'r golygfeydd a geir o'r henebion hyn yn dweud rhywbeth arall wrthym. Yn yr un modd ag yn Nghylch Cerrig Arthur (Tudalen 56 – 57) mae'n amlwg ei bod yn bosibl gweld nifer dda o gromlechi a charneddau a meini o'r henebion i gyd a phob un i'w gweld o'r naill i'r llall. Rhy hawdd fyddai casglu fod ein cyndeidiau wedi gwneud hyn yn fwriadol. Dengys hyn cynifer o'r henebion a geir yn yr ardal hon. Er fod Bwlch y Rhiwgyr bron yn anweledig bellach, mae ei phresenoldeb, ei bod, yn amlwg i bawb.

Bwlch y Rhiwgyr

(Treftadaeth)

Arwynebol yw'r olion, – annelwig
    yw waliau'r gweddillion,
Dyfalu wna'r adfeilion
Enaid hil yng nghread hon.

Huw Dylan Owen

Cylch Cerrig Ffridd Newydd, Dyffryn Ardudwy
SH 617 203   *2 Fileniwm Cyn Crist*

Dylid gochel rhoi enw anghywir i'r cerrig yma. Clywsom eu galw yn "Cylch Cerrig Hengwm". Mewn gwirionedd nid y rhain yw Cylch Cerrig Hengwm (gweler Tudalen 65 – 66), fel y tystia'r enw sy'n cyfeirio at "ffridd newydd" yn hytrach na "hen gwm". Ar weundir moel ac ar ychydig o oleddf mae'r cylch trawiadol hwn, a'i feini wedi eu gosod ar ogwydd allanol hynod. Bu carnedd oddi mewn i'r cylch ar un adeg, ond credir i'r cerrig gael eu dwyn i godi safleoedd cyffelyb cyfagos gan yr hen bobl. Oddi mewn i'r cylch fe welir cerrig llai ar ffurf sbiral droellog at y canol lle mae tir pantiog yn awgrymu fod rhyw fath o gist-fedd wedi bod yno.

Tynnodd yr archeolegydd O.G.S. Crawford lun o'r safle yn 1919 ac o edrych yn fanwl ar y llun hwnnw gwelir fod nifer dda o'r meini mwyaf

"Os y gwnei imi allor o gerrig, paid a'i gwneud o gerrig nadd; oherwydd wrth iti ei thrin a'th forthwyl, yr wyt yn ei halogi." – Exodus 20:25

amlwg bryd hynny a osodwyd ar ongl wedi diflannu erbyn hyn. Yn wir, roeddent wedi eu dwyn cyn 1967 yn ôl lluniau eraill a welwyd.

Pan gloddiodd Crawford canfu bridd melyn oedd heb ei aflonyddu yn union o dan lefel bresennol y tir. Awgrymodd hyn iddo fod y gladdfa wedi ei gosod ar wyneb y tir a'r corff wedyn wedi ei orchuddio gan garnedd o gerrig. Ni chanfuwyd dim arall.

Mae'r cylch hwn yn rhyfeddol debyg i Bryn Cader Faner (gweler Tudalen 96 – 100) a hefyd i gylchoedd eraill megis Carn Llechart yng Nghwm Tawe.

Carneddau Hengwm, Dyffryn Ardudwy
SH 613 205   *3 Mileniwm Cyn Crist*

Ar ucheldir llwm a diarffordd Ardudwy ger Mynydd ac afon Egryn saif dwy garnedd hir a'u siambrau claddu yn agored o hyd. Y carneddau hyn yw'r henebion pwysicaf a mwyaf diddorol o ran archeoleg ym Meirionnydd gyfan. Perthyn rhyw arswyd i'r ddwy, oherwydd eu lleoliad unig efallai (er y gwyddom fod y carneddau hyn wedi eu lleoli ar ymyl yr hen ffordd o'r Abermo i Harlech a ddefnyddiwyd hyd at y ddeunawfed ganrif ac felly ni fyddent wedi bod mor anghysbell bryd hynny), ond mae rhyw naws dychrynllyd yma wrth geisio ymbalfalu drwy'r agoriad tywyll a chyfyng i mewn i'r siambrau claddu. Nid nepell oddi yma mae mynydd Pen y Dinas uwchben Llanaber, ac yno mae'r chwarel lle cafwyd y cerrig a ddefnyddiwyd i adeiladu castell Harlech. Tybed beth feddyliai arweinwyr y Cymry, Madoc ap Llywelyn yn ei wrthryfel yn 1294, ac Owain Glyndŵr yn y bymthegfed ganrif, wrth gerdded heibio'r carneddau hyn gyda'u byddinoedd i ymosod ar gastell Harlech.

Yn anffodus codwyd wal gerrig drwy ganol y garnedd fwyaf yn ystod y ddeunawfed ganrif gan rannu'r olion yn ddau hanner. Ond er gwaetha'r difrod pery'r garnedd yn drawiadol. Ar ochr ddwyreiniol y wal gerrig gwelir porth gwreiddiol y siambr gladdu. Cynrychiolir yr agoriad hwn gan ddau faen hir (gweler y llun i'r chwith), a fu unwaith o bob tu i'r porth enfawr gyda chapfaen ar ei ben. Mae'n bur debyg fod y cerrig a fu yn y garnedd o gwmpas y gromlech wedi eu defnyddio i godi'r wal. Pan ymwelodd Thomas Pennant a'r safle yn 1780 nid oedd y

wal yma. Dyma gyfnod cynnar y Deddfau Cau Tir.

Mae'n anodd dychmygu'r olygfa gynoesol a fu yma, ond gwyddom y byddai'r holl gyfanwaith wedi ei orchuddio yn wreiddiol gyda cherrig, pridd a glaswellt ac y byddai wedi edrych fel twmpath naturiol, yn debyg i Bryn Celli Ddu ar Ynys Môn.

Er mai dim ond un siambr gladdu amlwg sydd i'w gweld yn y garnedd fwyaf, dywed arbenigwyr fod dwy siambr wedi bod ynddi yn wreiddiol, gyda thua tair siambr arall wedi eu hychwanegu at ymyl y garnedd gan yr hen bobl. Gwelodd Thomas Pennant y ddwy siambr yn gyfan yn ystod ei ymweliad yn y ddeunawfed ganrif. Addaswyd y

siambr sydd yn weddill gan fugail yn ystod y ddeunawfed ganrif fel lloches iddo tra'n gwylio'i braidd ar y mynydd. Anodd yw dychmygu lloches mwy arswydus i neb!

O gropian i mewn i'r siambr bresennol crëir argraff ar y synhwyrau yn syth. Mae'r tywyllwch, yr oerfel, arogl y lleithder, a'r gwacter eang yn rhyfeddol ac yno, yn nodwedd wreiddiol, mae cilfach i wneud tân sydd, yn ôl yr arbenigwyr, yn rhywbeth unigryw i siambrau yng Nghymru.

Nid yw'r garnedd leiaf yn llai trawiadol. Yma eto mae siambr gladdu amlwg a gall yr ymwelydd dewr ymlusgo ar ei fol o dan y capfaen i ymweld â'r siambr. Bu nifer o siambrau eraill yn y garnedd hon hefyd yn wreiddiol, ond bellach adfeilion yn unig a welir. Difrodwyd llawer ar y garnedd hon gan y codwyr waliau.

Dywed yr arbenigwyr fod Carneddau Hengwm yn debyg iawn i siambrau

claddu a charneddau hirion ardal y Cotswolds a'r Hafren yn Lloegr ac mae yn wahanol iawn i siambrau o'r un cyfnod yng Nghymru. Mae y carneddau hyn yn enghraifft o ddiwylliant a dulliau newydd o gladdu a gyflwynwyd i Gymru.

Mae'n anodd credu fod yr adeiladwyr waliau wedi chwalu cymaint yma. Sut na ddeallon nhw eu bod yn chwalu creiriau pwysig? Ond er y difrod, yma yng Ngharneddau Hengwm y ceir gwir flas o fyd yr hen bobl, yr hen fyd Brythonig, byd ein cyndeidiau.

Carneddau Hengwm

Yn oesol, tra fo'r haul yn c'nesu'r hwyr
a'r haf yn llonyddu,
a'r tes ar hyd Ardudwy –
yr hud hwn sydd oer a du.

Huw Dylan Owen

Cylchoedd Cerrig Hengwm, Dyffryn Ardudwy

SH 616 212   *2 Fileniwm Cyn Crist*

Prin yw'r cylchoedd cerrig yng Nghymru mewn cymhariaeth ag ardaloedd ucheldir Lloegr, a defnyddir cerrig tipyn yn llai o faint hefyd, sydd yn rhyfedd gan gofio mor fawr yw rhai o'r meini hirion yn yr ardal. Mae bedd yng nghanol nifer fawr o'r cylchoedd, ond ni chytuna'r arbenigwyr fod hynny'n golygu mai beddrodau oeddent mewn gwirionedd. Gallai'r "bedd" fod yn rhan o weithgareddau aberthu seremonïol er enghraifft.

Bu Cylchoedd Cerrig Hengwm yn gylchoedd cerrig mawr a phwysig, ond erbyn hyn prin yw'r olion gweledol, er fod llawer o wrthrychau, gan gynnwys crochenwaith a bedd cynoesol, wedi eu canfod yma gan archeolegwyr y gorffennol. Dywed arbenigwyr bod olion tyllau lle bu meini yn eglur yn nechrau'r ganrif ddiwethaf, ond yn anffodus mae'r olion hynny bellach wedi

diflannu mwy neu lai.

Mae'r cylchoedd hyn, prin hanner milltir o'r carneddau sy'n rhannu'r un enw, wedi eu lleoli mewn ardal lonydd, tawel a hudolus. Yma'n wir y ceir "lle i enaid gael llonydd".

Cylchoedd Cerrig Hengwm

(wrth gerdded canol dinas Abertawe)

Gwau a hyrddio wrth gerdded
 ar hewl y Kingsway ddi-gred,
Stryd ddi-daw Abertawe,
 Yn frenin ar drin y dre'.
Rhesi o ddynion prysur
 ânt fel ieir rhwng ceir a'u cur,
Rhed lludded drwy'r siwtiau llwyd
 a'u rhuddin fel rhyw freuddwyd
anllad a'u dyddiau'n hunllef
 drist. Symud yn wyllt drwy'r dref
i osgoi y brysio 'gwâr'.
 Anarchiaeth sydd ger carchar
y ddinas, mae'r terasau
 yn gâd i'r iobos a'u gwae.
A rhemp yw'r siopwyr di-ri
 a'u hanwaraidd lafoeri
yn ddawns hyd y stryd ddi-wên
 i sur gyfeiliant seiren.

Drwy'r llu sy' ngyrru o' ngho' –
Mi wn fod Hengwm yno.

                              Huw Dylan Owen

Cylch Cerrig Llecheiddior, Dyffryn Ardudwy
SH 611 217   *2 Fileniwm Cyn Crist*

Prin yw'r olion sydd i'w gweld yma bellach. Gan fod nifer helaeth o gerrig "naturiol" ar wyneb y tir nid hawdd yw gwahaniaethu rhyngddynt hwy a cherrig y cylch. Mae'r cylch cerrig hwn bron yn ugain medr ar ei draws. Un maen sydd yn dal ar ei draed a hwnnw tua hanner medr o uchder, mae'r gweddill bellach ar eu llorwedd a phrin y gellir gweld ambell un yn y borfa.

Bu archeolegwyr Seisnig yma yn archwilio yn nechrau'r ugeinfed ganrif gan gyflogi amaethwyr lleol i wneud y gwaith cloddio. Roedd gwir angen yr arian ar y gwŷr lleol ac roedd y cyflog yn dda. Felly pan ddaeth y cyfnod

chwilio i ben a neb wedi canfod dim roedd y golled ariannol yn drwm. Aeth un o'r ffermwyr gyda'r hwyr a thaflu hen ddarn rhydlyd o haearn, a fu rhyw dro yn rhan o beiriant amaethyddol, i ganol y pridd lle buont yn cloddio gan ei orchuddio a mwy o bridd. Y diwrnod canlynol, a hithau'n ddiwrnod olaf y cloddio, daethpwyd o hyd i'r haearn gan yr archeolegwyr a phenderfynwyd yn y fan a'r lle y dylid ymestyn y cyfnod cloddio am chwech wythnos ychwanegol gan ddiogelu cyflog pellach i'r cloddwyr – oedd, roedd "hogia ni" yn bod y pryd hwnnw hefyd!

Ysgrifennodd yr awdur taith, Thomas Pennant, yn y ddeunawfed ganrif am yr ardal hon gan nodi y gelwir y "carneddau" hyn yn "Bryn Cornyn Jau". Deillia 'cornyn' o'r gair am gyrn anifeiliaid ac mae'n rhyfedd o debyg i'r enw cyffredin arall ar fynydd Pen Dinas gerllaw, sef Dinas Gortyn. Daw yr enw Jau/Iau o'r enw Lladin am dduw'r wybren Rhufeinig, Jupiter. Hwn yw'r duw a daflai fellt a tharanau at y rhai na hoffai (atsain o chwedl Cylch Cerrig Arthur, – Tudalen 56 – 57). Hwn hefyd roddodd yr enw ar ddydd Iau i ni'r Cymry, ac ar y blaned Iau, yn ogystal â'r enw Cristnogol ar Dduw, Jehova, Iaweh yn y Gymraeg, ac o'r enw y deilliodd y reg gableddus ysgafn Saesneg, "By jove!". Arferai yr hen Gymry gyfeirio at ddyddiau'r wythnos, nid fel dydd Iau, dydd Gwener a dydd Sadwrn ac yn y blaen, ond fel duw Iau, duw Gwener a duw Sadwrn ac ati.

Cromlech Cors y Gedol, Dyffryn Ardudwy
SH 603 228   *4 Mileniwm Cyn Crist*

Dyma wlad y tylwyth teg chwedlonol o Gors y Gedol i fyny heibio Llety Lloegr a Phont Fadog, a than gysgod mynyddoedd Moelfre a Llawllech ger afon Scethin. Saif cromlech Cors y Gedol ar ymyl yr hen ffordd sydd yn pasio heibio nifer fawr o'r cylchoedd a'r cromlechi a ddisgrifir yn y llyfr hwn, ffordd a âi o'r naill ben o Ardudwy i'r llall. Dyma'r unig gromlech ym Meirionnydd fyddai'n caniatáu mynediad cadair olwyn gan fod y ffordd darmac gyfoes, er ei bod yn anffodus wedi difrodi rhywfaint ar yr heneb hon, wedi creu llwybr cyfleus iawn tuag ati.

Gelwir y gromlech hon yn Coetan Arthur gan rai, ond mae'r enw hwnnw mor gyffredin ar gromlechi ar hyd ac ar led Cymru fel nad oes modd dweud yn union pa gromlech ddylai arddel yr enw. Fodd bynnag, dywed chwedl mai'r Brenin Arthur daflodd y meini hyn i'w lle oddi ar ben mynydd Moelfre. Clywir y chwedl hon, neu un gyffelyb, ar hyd ac ar led Cymru gydag amrywiol gromlechi yn ogystal.

Gwelir fod difrod difrifol wedi ei wneud i'r siambr gladdu a fu yma yn wreiddiol, ond gwyddom drwy ysgrifau Thomas Pennant a lluniau ei gyfaill, Stukely, fod y difrod wedi ei wneud cyn iddyn nhw ymweld â'r safle ac mai fel hyn y bu'r gromlech hon am ganrifoedd mewn gwirionedd. Er hynny,

dengys ffotograff, nad yw wedi ei ddyddio, gan Alvin Langdon Coburn, (Americanwr 1882 – 1966), fod wal gerrig sych yn rhan o'r gromlech ar adeg tynnu'r llun. Nid yw'r wal yno bellach. Er hynny, unwaith yn rhagor, gwelir olion rhai o feini o siambr gladdu wreiddiol Cors y Gedol mewn waliau cerrig gyfagos.

Mae Cors y Gedol yn blasty a fu yn eiddo i deulu'r Nannau, Dolgellau. Bu teulu'r Fychaniaid (Vaughan) o'r Nannau yn berchen ar diroedd y Nannau a Chors y Gedol am fil o flynyddoedd o'r ddegfed ganrif hyd at yr ugeinfed ganrif pryd y gwerthwyd y plastai.

Er i deulu'r Nannau, yn gyffredinol, ochri gyda brenhinoedd Lloegr yn dilyn cwymp Llywelyn ein Llyw Olaf yn 1282 gyda hanesion am Ynyr Fychan, o'r Nannau yn dal ac yn caethiwo Madog ap Llywelyn yn 1295, a Hywel Sele yn ceisio lladd Owain Glyndŵr yn y bymthegfed ganrif, roedd y teulu yn bwysig i'r diwylliant Cymraeg a bu eu nawdd i'r beirdd a'r cerddorion Cymreig yn fodd i gadw'r diwylliant yn fyw.

Er i rai honni mai enw llwyth yw ystyr y gair Ardudwy ("túath" yw'r Gwyddeleg am wlad neu deyrnas ac mai "wy" sy'n dynodi enw llwyth), credir yn gyffredinol mai "tir duw" yw'r ystyr. Ymhellach i fyny'r ucheldir ym mlaenau afon Scethin ceir chwedlau am dderwyddon yn trin hud a lledrith (gweler Tudalen 71). Rhyfedd yw meddwl am y derwyddon yn ymgynnull i gysegru'r beddrod yng Nghromlech Cors y Gedol.

Cors y Gedol

Diraddiwyd y derwyddon a'u duwiau –
    Daeth diwedd i'w swynion,
  A bedd i'w cyfareddion
  A'u hud, ond arhosodd hon.

Huw Dylan Owen

Meini Scethin, Dyffryn Ardudwy

SH 627 236 *2 Fileniwm Cyn Crist*

SH 628 236

SH 636 233

Ar y ffordd at Bont Scethin mae Llyn Irddyn (Llyn Erddyn medd rhai), yn dawel ac oer o dan mynydd Llawllech. Dywed traddodiad wrthym fod Llyn Irddyn yn gysylltiedig â'r derwyddon a bod yr ardal hon yn llawn o hud a lledrith. Mae'r myrdd o gromlechi a chylchoedd cerrig sydd yn yr ardal yma yn awgrymu efallai fod mwy o wirionedd yn y chwedlau nag yr hoffem gydnabod weithiau.

Mae'n debyg mai Llyn y Derwyddon oedd yr enw gwreiddiol ar y llyn a bod traul amser wedi llurgunio'r enw i'r Erddyn/Irddyn cyfredol. Ar hyd ymyl y llyn mae cerrig enfawr gyda phantiau ar eu hwynebau. Yma, ar y cerrig hyn mae'n debyg, y byddai'r derwyddon yn eistedd i addoli, gan gredu mai allorau oedd y cerrig. Ym mhendraw y llyn i gyfeiriad y de mae ceudwll lle y dywedid y cedwid gwahanol fathau o bysgod arbennig a ddefnyddid ar gyfer swynion hud a lledrith y derwyddon.

Credai pobl Ardudwy fod y llyn hwn yn gysegredig a theithiai llawer un oedd ag anabledd neu salwch at y llyn i geisio gwellhad, gan y credid fod dyfroedd y llyn hwn â rhinweddau iachusol yn perthyn iddo.

Ar hyd y llwybrau hyn, o Bontddu dros fynydd Llawllech a thros yr hen bont, Pont Scethin y teithiai'r porthmyn, ac ychydig ymhellach ar hyd y llwybr i gyfeiriad Llyn Bodlyn mae dwy garnedd, un bob ochr i'r llwybr, dwy garnedd a ddifrodwyd yn sylweddol ganrifoedd yn ôl hyd nes eu dadfeilio bron yn llwyr. Nid nepell o'r fan hon gwelir y maen agosaf at y môr, y maen mwyaf deheuol o beth a fu yn gylch cerrig cywir, ond a saif ei hunan bellach a'r cylch wedi hen ddiflannu. Mae amryw o feini bychain eraill yn yr un ardal, ond saif y maen hwn yn dystiolaeth gadarn o fyw a bod yr hen bobl yma bedair mil o flynyddoedd yn ôl.

Maen Scethin

Ar lethrau miniog y dwys Rinogydd
 daw'r hud i oedi ar y diwedydd,
Ar ei haden daw cân yr ehedydd
 i roi o'i folawd a'i swyn ar foelydd;
O'r meini ar y mynydd – daw iasau
 rhyw hen storïau o'r llynau llonydd.

Tecwyn Owen

Cylch Cerrig Waen Hir, Dyffryn Ardudwy
SH 609 239　　　　2 Fileniwm Cyn Crist

Mae angen amynedd a phenderfyniad i ganfod y cylch cerrig hynod hwn. Saif mewn man neilltuol hardd gyda'r olygfa odidog yn rhyfeddu'r llygad i bob cyfeiriad. Gwelir arfordir deheuol Pen Llyn yn ei grynswth ac ynys Enlli yn glir (nodwedd sydd i'w weld yn y rhan fwyaf o'r meini yn ardal Arudwy ac Arthog), gwelir i lawr am Abermaw a thua môr Iwerddon. Gwelir rhai o fynyddoedd Eryri i gyfeiriad Harlech ac mae mynydd Moelfre yn tra arglwyddiaethu i'r dwyrain. I'r de mae llethrau gorllewinol y Rhinogau yn glir a gallwn ddyfalu petai tân wedi ei gynnau ar yr Allt Lwyd (gweler Tudalen 45 – 47) y byddai i'w weld o'r fan hyn.

Rhwng ffermdy Tal y Ffynonau (sic) ac adfail Cors Uchaf, nid nepell o Gromlech Cors y Gedol ac ardal draddodiadol y derwyddon ymguddia'r cylch mewn tir corsiog a brwynog. Mae pedair carreg ar ddeg a phob un yn llai na medr o uchder. Mae angen map, digon o amser, brwdfrydedd ac agwedd arbennig i ganfod y cylch hwn!

Waen Hir

Yno mae'n sibrwd yn gynnil – a'i heddwch
ynghudd yn yr encil
rhwng y brwyn a'i swyn yn swil, –
Oesau ar goll mewn ffosil.

Huw Dylan Owen

Coetan Arthur, Dyffryn Ardudwy

SH 588 228   *4 Mileniwm Cyn Crist a 3 Mileniwm Cyn Crist*

Yma, ar gyrion pentref Dyffryn Ardudwy, oddeutu can medr o'r ysgol gynradd leol, saif dwy gromlech sy'n dwyn yr enw Coetan Arthur, ond a elwir yn Siambrau Claddu Dyffryn gan eraill, a Cherrig Arthur gan rai eraill eto. Dywed un chwedl fod y Brenin Arthur wedi taflu'r goetan yma o ben mynydd Moelfre a cheir yr un math o chwedl a sawl 'Coetan Arthur' mewn gwahanol ardaloedd yng Nghymru.

Adeiladwyd y ddwy gromlech fawr yma o fewn medrau i'w gilydd a phery rhan fawr o'r cerrig a fyddai wedi gorchuddio'r garnedd wedi eu gwasgaru o amgylch. Dim ond yn Iwerddon, Cernyw, Ynys Môn ac yma yn Ardudwy y ceir y math hyn o gromlech a elwir yn feddrod porth ('portal tomb') oherwydd y meini bob ochr i'r porth i'r gromlech sy'n dal y capfaen. Credir mai dyma'r math cynharaf o siambr gladdu a godwyd ym Mhrydain. Wrth geisio sicrhau nad oedd y capfaen ar y gromlech fwyaf yn disgyn, gwelodd rhywrai yn dda i adeiladu wal gerrig gyda choncrit yn ystod ail hanner yr ugeinfed ganrif, ac yn anffodus mae'r wal honno yn andwyo'r effaith a geir o edrych ar y fath hon o gromlech.

Y gromlech leiaf a adeiladwyd gyntaf. Rhoddwyd slab enfawr yn llorweddol ar y ddaear ac yna gosodwyd chwe maen i sefyll o'i chwmpas i gynnal y capfaen. Caewyd y fynedfa i'r gromlech hon cyn gosod y capfaen yn ei le. Yn aml canfyddir marciau cwpan bychain ar ochr fewnol meini mewn beddrod porth, ac mae enghreifftiau clasurol o hynny i'w gweld ar y gromlech hon.

Canfuwyd gweddillion crochenwaith Neolithig o flaen porth y gromlech leiaf hon.

Dywed arbenigwyr fod y safle hwn wedi ei adeiladu mewn dau gyfnod gwahanol a'i bod yn bosibl fod cannoedd o flynyddoedd wedi mynd heibio cyn mynd ati i adeiladu'r ail gromlech, sef yr un fwyaf a saif i'r dwyrain.

Canfuwyd olion amlosgi un unigolyn gerllaw'r siambr ddwyreiniol a chanfuwyd tlws crog arbennig iawn yn yr un fan, sef pendant gyda thwll drwyddo i ddal cortyn neu gadwyn o rhyw fath.

Rhoddwyd dyddiad o'r oes efydd ar beth o'r crochenwaith a ganfuwyd ger y gromlech ddwyreiniol hon. Golyga hynny fod y siambr honno, o bosib, wedi cael ei defnyddio am dros fil o flynyddoedd wedi iddi gael ei hadeiladu. Credo hirhoedlog yn wir.

Pan adeiladwyd y siambrau claddu hyn byddai'r môr wedi bod o fewn hanner milltir iddynt a gwelwn felly pa mor anodd yw hi i'n hoes ni i geisio dyfalu swyddogaeth y fath adeiladau.

Coetan Arthur
(llai na 50 medr o Ysgol Dyffryn Ardudwy)

Er i'n dysg ddiwrnodau ysgol adrodd
am frwydrau brenhinol
y Saeson hyf oesau'n ôl –
hanes hon oedd absennol.

Huw Dylan Owen

Carnedd Bron y Foel Isaf, Dyffryn Ardudwy

SH 607 246   *4 Mileniwm Cyn Crist*

Ym Mron y Foel gwelir capfaen enfawr yn cydbwyso'n rhyfeddol ar feini hirion. Yn anffodus, ym Mron y Foel hefyd y gwelir y difrod mwyaf a wnaethpwyd i gromlech hynafol ym Meirionnydd. Adeiladwyd wal gerrig drwy ei chanol, ac oherwydd hynny mae'n amhosibl gwerthfawrogi'r gromlech yn ei chyfanrwydd. Pam na allai'r saer maen fod wedi gosod ei wal o amgylch y gromlech tybed. Yn ystod ymweliad cyntaf yr awduron a'r fan roedd gwaith ychwanegol yn cael ei wneud ar y wal fel y gwelir yn y llun uchaf.

Er hynny, mae'n werth ymweld â'r gromlech hon i werthfawrogi ei maint ac i ddychmygu'r siambr gladdu fyddai wedi bod yn rhan ohoni yn wreiddiol. Mae'r golygfeydd o'r fan hyn yn banorama godidog ac yn rheswm arall dros ymweld â'r lle.

Amaethwr

Er ei eni'n Meirionnydd – a'i holl oes
    ar un llain o'i moelydd;
Ni ŵyr ef yr hanes rydd
stori ym meini mynydd.

Huw Dylan Owen

Bron y Foel Uchaf, Dyffryn Ardudwy

SH 611 249   *4 Mileniwm Cyn Crist*

Mae'r capfaen ym Mron y Foel Uchaf yn anferth, yn fwy hyd yn oed na'r capfaen ym Mron y Foel Isaf, ond mae'n anodd ei chanfod yn y caeau llethrog ar waelodion mynydd Moelfre. O ran maint mae'n atgoffa rhywun o gapfeini y cromlechi ym Mro Morgannwg (Tinkinswood a Gwâl-y-Filiast).

Meini bychain sydd yn cario'r gapfaen ac mae'n anodd dychmygu sut y defnyddid y gromlech hon. Ond mae ei chyfeiriadedd yn dilyn yr un patrwm â Gwerneinion, Coetan Arthur, Bron y Foel Isaf a Chors y Gedol, yn gorwedd o'r gogledd-ddwyrain i'r de-orllewin. Mae Carneddau Hengwm yn gorwedd o'r de-ddwyrain i'r gogledd-orllewin.

Bron y Foel Uchaf

"Wyf rith o gyff hen Frython, – yn Gymro
        gwag amrwd", adfeilion
    o hil ydyw'r gromlech hon,
    Mae cig mewn cerrig geirwon.

Huw Dylan Owen

Cerrig Llanbedr, Llanbedr, Harlech

SH 583 270   *2 Fileniwm Cyn Crist*

Anarferol yw canfod meini hirion mor agos at lefel y môr, ond mewn cae ar ymyl pentref Llanbedr, Harlech, gwelir dau faen hir dan ganghennau derwen hen. Ystyrir fod y fwyaf ohonynt, sydd dros dair medr o uchder, yn wreiddiol, ond cwestiyna'r arbenigwyr ddilysrwydd y maen lleiaf.

Roedd hi'n gyffredin i'r meini a ddewiswyd ar gyfer cylchoedd cerrig, ac i fod yn feini hirion, gael 'quartz' yn rhedeg drwyddynt, ac yma drwy'r maen mwyaf gellir gweld olion y garreg wen yn treiddio drwyddi. Nid oes unrhyw esboniad dibynadwy erioed wedi ei roi am y 'quartz', ond mae traddodiad

gan amaethwyr, yn enwedig yn Sir Benfro, o roi cerrig gwynion ar ben postyn dal llidiart i sicrhau fod ysbrydion yn cadw draw. Mae nifer o hen gredoau yn ymwneud â'r cerrig gwynion hyn. Gall 'quartz' droi golau'n sbectrwm o liw ac arferai rhai gredu mai wrth i'r cerrig gwynion amsugno golau'r sêr y byddai'n creu'r egni angenrheidiol i greu eneidiau dynion.

Goroesa cofnodion o 1867 sydd yn disgrifio meini eraill mewn caeau cyfagos, ond diflanasant yn ystod yr ugeinfed ganrif. Da gweld fod rhywun wedi gweld yn dda i osod ffens i warchod y safle.

Saif y ddau faen fwy neu lai yng ngheg yr afon Artro ac mae'n bosibl mai y rhain oedd y cyntaf i ddangos y ffordd i deithwyr, neu i fasnachwyr metel yr Oes Efydd a laniai o'u cychod yn Llanbedr ac ymlaen heibio i'r meini hirion (gweler Tudalen 86 – 88) fyddai'n cyfeirio (Meini Gobaith neu Feini'r Brenin) at Moel Goedog, neu ymhellach fyth at Bryn Cader Faner ac ymlaen dros y Rhinogau.

Mae'n werth nodi na fyddai wedi bod yn rhwydd cael gafael ar y garreg fawr hon yn agos at y fan hyn ac y byddai wedi golygu cryn dipyn o lafur i'w symud o'r mynyddoedd i'w safle presennol.

Dywed ambell lyfr taith fod y meini hyn mewn cae gyda'r meirch y tu ôl i'r orsaf betrol – bellach diflannodd yr orsaf betrol a'r meirch.

. Meini Llanbedr

Medd llyfrau'n gadarnhaol
  Tu ôl i garej betrol
Wrth ymyl ceffyl yn y cae
  Y gweli'r ddau hynafol.

Yr orsaf sy' wedi cholli
  A'r march sydd wedi trengi,
Yr oes newidia bron bob nos,
  Ond aros mae'r hen feini.

Huw Dylan Owen

Cromlech Gwerneinion, Llanbedr, Harlech

SH 587 286   *4 Mileniwm Cyn Crist*

Cromlech hen iawn, un o'r rhai hynaf ym Mhrydain gyfan yw'r gromlech fawr a geir ar ben y bryn uwchlaw Llandanwg, Cromlech Gwerneinion. Dyma gromlech arall a ddefnyddiwyd fel rhan o'r wal gerrig gan amaethwyr yn y ddeunawfed ganrif. Saif mewn man diarffordd, ond byddai'r garnedd a fyddai wedi ei gorchuddio yn wreiddiol wedi ei gwneud yn amlwg iawn i'r teithiwr. Mynediad fyddai'r gromlech hon i siambr gladdu.

Yn ystod ein hymweliad roedd corff llwynog yn gorwedd yn gelain yn y gromlech a rhoddodd hynny flas i ni o'r oesau gynt, a'n hatgoffa hefyd fod y gromlech hon wedi bod yma ers, yn llythrennol, 'oes yr arth a'r blaidd'. Bu Gwerneinion yma ers chwe mil o flynyddoedd, neu dros ddwy filiwn o ddyddiau, ac fe saif yma o hyd, gobeithio, am filawdau eto i ddod yn dyst i hen grefydd ein cyndeidiau.

Gwerneinion

Eisoes, erbyn Iesu'r Groes a'i grefydd
 yn huawdl ddatgan geni'r oes newydd,
Yn fan hyn roedd Gwern Einion yn llonydd
 'rôl pedair milawd o ffawd yr hen ffydd,
Hon saif ers yr oes efydd – a'i hanian
 a'i gwely'n darian i goelion Derwydd.

Huw Dylan Owen

Carreg Gylchog, Eglwys Llanbedr, Harlech
SH 584 269   *3-4 Mileniwm Cyn Crist*

Yn 1866, wrth gerdded ar odre mynydd Moelfre rhwng Cwm Nantcol a Chwm Bychan daeth Dr Griffith Griffiths, Taltreuddyn, o hyd i'r garreg hon yng nghanol meini hynafol eraill. Penderfynodd ar unwaith na ddylai'r garreg hynod gael ei hesgeuluso ymhellach ymhlith y cerrig y bu hi yn eu cwmni am filawdau, ac mai doeth fyddai ei symud i fan mwy diogel ac yn nes at "wareiddiad". Felly trefnodd i'r heneb gael ei gludo a'i osod rhwng y ddau faen hir yn Llanbedr (gweler Tudalen 79 – 80). Yno y bu nes i'r offeiriad lleol unwaith eto ei symud i ddiogelwch pellach ei eglwys yn Llanbedr yn 1914 a'i gosod yn pwyso yn erbyn mur yr eglwys. Yn chwedegau'r ugeinfed ganrif symudwyd y maen i mewn i'r eglwys ac mae heddiw yn sefyll ger y bedyddfaen. Gyda'n deall cyfoes am law asid efallai y dylem ddiolch am warchodaeth to'r eglwys.

Dywedir yn chwedlonol mai nid yma oedd lleoliad yr eglwys i fod yn wreiddiol a'i bod wedi ei hail-leoli ar gais y diafol "neu rhyw fod goruwchnaturiol arall".

Ar y garreg ryfeddol hon mae rhigol oddeutu centimedr o led yn ffurfio sbiral o'i ganol am allan saith gwaith gydag oddeutu 3 centimedr rhwng pob rhigol i greu patrwm 30 centimedr ar ei draws.

Nid oes unrhyw olion eraill ar y garreg, ond adroddodd Dr Griffiths fod marciau bwriadol yn amlwg mewn meini eraill yn y fan y canfuwyd y garreg hon. Nid oes neb wedi llwyddo i ganfod y meini hynny. Mae'r patrwm hwn yn brin iawn ar feini cyffelyb, gyda rhai enghreifftiau yng Nghernyw a dau ar Ynys Môn, yn eglwysi Llangaffo a Llangeinwen.

Carreg Gylchog Llanbedr

Yr allor a'i phatrwm troellog – a ddaeth
o'n ddoe yn ysgythrog,
A heddiw mae'n anfoddog
mewn llan ymhell o'r maen llog.

Huw Dylan Owen

Bedd Gurfal, Llanbedr

SH 613 311   *2 Fileniwm Cyn Crist*

Mewn man anghysbell a diarffordd ymhell uwchlaw Llanbedr, Harlech, y saif y cylch yma – Bedd Gurfal. Math o lechen yw'r cerrig yn y cylch bychan hwn a fu'n sefyll yma ers pedair mil o flynyddoedd. Yng nghanol y cylch mae pant lle bu bedd yn y gorffennol neu efallai lle bu tyllu am drysor yn y canrifoedd a fu.

Mae'n anodd peidio ceisio dyfalu pwy oedd y Gurfal hwn a roddodd ei enw ar y cylch ac ar y Ffridd Llwyn Gurfal cyfagos. Tybed a yw'r enw wedi parhau ers pedair mil o flynyddoedd, ynteu a ydyw'n deillio o gyfnod mwy diweddar.

Bedd Gurfal – y cefndir gweledol yw'r Rhinogau mawreddog

Bedd Gurfal

Er ei huno mae'i warineb – yn fyw,
Daw o'i fedd a'i gofeb
rhyw anfeidrol farwoldeb
i'w ddawn wâr. 'Dyw heddiw'n neb.

Huw Dylan Owen

Cae Meini Hirion Bach, Llanfair, Harlech
SH 584 290   *2 Fileniwm Cyn Crist*

Uwchben chwarel lechi Llanfair a ger yr ardal a elwir yn Hengaeau mae cae yn dwyn yr enw Cae Meini Hirion Bach, nad yw ymhell iawn fel yr hed y frân o gromlech Gwerneinion (gweler Tudalen 81). Yn anffodus, er mwyn osgoi tiroedd gwlyb, waliau cerrig, weiren bigog a chŵyn amaethwyr, doeth fyddai dewis y ffordd yn ôl am Lanfair ac yna cymryd y ffordd heibio fferm Pensarn.

Nid oes dim i'w weld yn y cae bellach gan ei fod wedi ei glirio ar gyfer amaethu cyfoes. Ond, o edrych ychydig yn fwy manwl ar y wal gerrig canfyddir olion yr hyn a fu.

Mewn un gornel gwelir maen hir wedi ei ymgorffori yn y wal a bellach mae'r eiddew ar ben y wal wedi ei gofleidio.

Mewn cornel arall mae capfaen amlwg eto wedi ei ymgorffori yn llorweddol yn y wal gyda cherrig oddi tano ac uwch ei ben.

Mae'n amhosibl dweud yn sicr ai meini hirion ynteu cromlech a siambr gladdu a fu yma ac mae'n debygol na fydd hi fyth yn bosibl datgan hynny yn bendant, ond mae'n anodd gwadu'r dystiolaeth yn y wal sy'n caethiwo'r meini erbyn hyn.

Cae Meini Hirion Bach

Goroesais wrachod a'u rhodres, – dinistr
    dewiniaid anghynnes;
  Ond damniol oedd lol diles
  ffermwr a'i benstiff ormes.
                Huw Dylan Owen

Arwyddfeini Llanfair, Llanfair, Harlech

SH 598 309   *2 Fileniwm Cyn Crist*
SH 601 313
SH 604 316

Dyma Feini Gobaith neu Feini'r Brenin o ddifrif. Gallent fod yn gofebion am rhyw achlysur neu ddigwyddiad arbennig o'r gorffennol pell. Ond mae'n fwy na thebyg mai meini i ddangos y ffordd ydynt, y ffordd o Llanbedr at Moel Goedog, ymlaen i Bryn Cader Faner ac efallai ymhellach tuag at Llech Idris.

Saif y Fonllech Hir (gwaelod chwith) yn drawiadol denau, ond bron i dair medr o uchder, tra fod Carreg (gwaelod dde) – ("Carreg" yw ei henw) – yn fychan, ond yn meddu ar olygfeydd gwych ac yn aml yn hafan i adar ysglyfaethus i glwydo arni i herio'r gwynt. Yn nes lawer at Foel Goedog a'r tu hwnt i Fferm Merthyr mae maen Moel Senigl (chwith uchaf) sydd yn sefyll ar gyffordd yn y llwybr, oddi ar y ffordd gyfoes tuag at Moel Goedog.

Yn y fan hyn aiff y llwybr yn ei flaen heibio arwyddfeini pellach a welir ar dudalen 87.

Arwyddfeini Llanfair

Yn gwyro ar y gorwel – fe weli
     hen filwyr penuchel,
A rhywfodd deil eu rhyfel
a'u hir oes heb ddweud ffarwel.

Huw Dylan Owen

Arwyddfeini Moel Goedog, Harlech

SH 607 320   *2 Fileniwm Cyn Crist*

SH 608 321

SH 609 322

Wedi troi oddi ar y ffordd darmac gyfoes a dechrau ar y llwybr i gyfeiriad
Moel Goedog mae'r Meini Gobaith i'w gweld yn rheolaidd ar ochr y llwybr.
Mae'r cyntaf (llun isod) yn agos at y ffordd darmac, yn cadarnhau i'r teithiwr
mai yma yw'r lle i droi. Mae'n faen rhyfedd o ran ffurf ac mae cysgod o wedd
wyneb dynol i'w weld arno i'r rhamantwr dychmygus. Mae'r ddwy garreg
arall i'w gweld bob ochr i'r llwybr yn rheolaidd nes cyrraedd Moel Goedog.
Nid oes amheuaeth mai meini i gadarnhau'r llwybr oedd y rhain gan eu bod
mor agos at eu gilydd, ond gyda gormod o fwlch rhyngddynt i fod yn feini
seremonïol.

Ar fapiau nodir safleoedd y meini hyn gyda "standing stone" Saesneg. Ond nid henebion Saesneg yw'r rhain ac mae ein cysylltiad ni, y Cymry, atynt yn agosach lawer na'r hyn awgrymir drwy gyfrwng estron iaith y mapiau.

Arwyddfeini Moel Goedog

Do, fe welais yn dy adfeilion – holl
Ddiwylliant y Brython
Ac arswyd meini llwydion
A'u hing, ond dim "standing stone".

Huw Dylan Owen

Moel Goedog, Harlech
SH 610 324   *2 Fileniwm Cyn Crist*

Wedi dilyn y llwybr o Lanbedr i fyny'r mynydd at odre'r Rhinogau ceir panorama gwych gyda Phenrhyndeudraeth a Phortmeirion islaw i'w gweld yn rhyfeddol o glir ac yn ymddangos yn agos iawn. Nid yw cylchoedd cerrig Moel Goedog yn amlwg i'r teithiwr, mae angen gwybod am eu bodolaeth i'w canfod yn rhwydd gan fod un cylch tua pymtheg medr islaw'r llwybr a'r llall oddeutu ugain medr uwchlaw'r llwybr. Ond, o'u canfod, fe geir cylchoedd arbennig mewn lleoliad godidog.

Cloddiwyd y cylch isaf (llun ar dudalen 89) yn 1979 ac mae gwybodaeth mwy pendant ar gael ynglŷn â'i ddefnydd nag sydd yn arferol am feini ym Meirionnydd. Mae'r cylch yma bron yn gylch perffaith a datgelodd dulliau dyddio radio carbon ei fod yn cael ei ddefnyddio rhwng 1700 a 1400 CC.

Wrth gloddio canfuwyd esgyrn dynol, golosg, golosg yn gymysg ag olion amlosgi, a golosg ac esgyrn mewn potiau o grochenwaith. Canfuwyd un peth arall nas gwelwyd erioed o'r blaen mewn unrhyw le, sef fod rhai darnau o'r esgyrn dynol yn amlwg wedi eu claddu yn wreiddiol yn nes at y môr, gan fod tywod yn gymysg a'r pridd o'u cwmpas, a'u bod felly wedi cael eu symud lawer yn ddiweddarach i'r fan yma i'w hail-gladdu. Ers y canfyddiad hwn yn 1979, fodd bynnag, daethpwyd o hyd i olion cyffelyb eraill yn Ne Cymru.

Roedd y golosg mewn pydewau unigol yn y ddaear oddi mewn i'r cylch a'r esgyrn mewn pydewau eraill cyfagos oddi mewn i'r un cylch. Mae'n debyg fod y pydewau wedi eu creu ar adegau gwahanol i'w gilydd.

Tra saif y ddau gylch ar lethr mae'n amlwg fod ymdrech wedi ei wneud i wastatau'r tir ar gyfer y cylchoedd ac mae hynny'n arbennig o wir am y cylch isaf.

Mae gwneuthuriad y cylch uchaf (llun ar dudalen 90) yn amlwg wahanol. Unwaith eto ceir cylch sydd bron yn berffaith grwn, ond y tro hwn defnyddiwyd clogfeini mawr ac awgryma arbenigwyr fod rhai ohonynt yno'n naturiol ac mai ychwanegu atynt a wnaeth yr hen bobl. Ni chloddiwyd y cylch hwn, ond gellir dyfalu fod y ddau gylch wedi eu codi tua'r un adeg. Gan fod y ddau gylch mor agos at ei gilydd a'u bod yn ymddangos fel uchafbwynt y daith ar hyd y meini hirion o Lanbedr, mae'n bosibl iawn mai swyddogaeth seremonïol oedd iddynt.

Bu caer Geltaidd fechan ar ben y mynydd cyfagos, Moel Goedog, ac mae'n debyg fod y gaer yn cael ei defnyddio oddeutu mil o flynyddoedd cyn Crist. Nid oes llawer o olion yno bellach, ond mae'r olygfa odidog yn sicrhau taith werthfawr.

Moel Goedog

Yn gaeth rhoddais feini gwâr
 Yn eu harchif o garchar.
Er gwaith o'u rhoi ar gof
 Eu hangerdd aiff yn angof.

Huw Dylan Owen

Y Gyrn, Llandecwyn, Harlech

SH 641 358   *2 Fileniwm Cyn Crist*

Ymhell bell uwchben Llandecwyn mewn man cysgodol ac nid nepell oddi wrth Bryn Cader Faner, saif olion cynoesol y Gyrn. Yn y Gyrn mae olion o dwmpath a losgwyd ar gyfer coginio ar lan y nant fechan sy'n rhedeg drwy ganol y dyffryn bychan hwn.

Yr ochr draw i'r nant mae olion carnedd gladdu amlwg gyda bedd-gist yn ei chanol. Ni allwn ond dyfalu pa un ai seremonïol ynteu swyddogaeth ymarferol claddu'r meirw oedd yma. Yma yn y Gyrn yn ychwanegol at y garnedd gwelir olion cylchoedd consentrig sydd, fe dybiwn, yn awgrymu pwyslais seremonïol, ond mae'r twmpath coginio yn cyfeirio o bosibl at swyddogaethau ymarferol.

Gwelir enghreifftiau ar hyd ac ar led Cymru o weddillion cyrff yn dilyn aberthu mewn beddau cyffelyb i hwn, ac ar Ynys Môn mae nifer o enghreifftiau o gyrff plant bychain wedi eu canfod mewn cromlechi yn ogystal a chlustiau plant bychain wedi eu claddu yng nghanol bedd-gistiau. Rhy hawdd weithiau yw rhamantu'r gorffennol gan anghofio'r swyddogaethau posib a fu i'r henebion hyn.

Y Gyrn

Hawdd yw lled-athronyddu – yn hwylus
        am galendr seryddu;
    Gwên teg-heulwen sy'n celu
    nad cynnes dy hanes du.

Huw Dylan Owen

Maes y Caerau, Llandecwyn, Harlech

SH 635 362   *I Mileniwm Cyn Crist*

O gerdded heibio'r Gyrn ar hyd llwybr ar ochr y bryn, deuir at Maes y Caerau. Yma ceir olion o anheddiad cynoesol lle y gwelir seiliau adeilad a muriau fyddai, mae'n debyg, wedi amgylchynu dau fuarth consentrig ar wahân. Saif y rhain mewn man uchel yn edrych i lawr at amaethdy presennol Maes y Caerau a'r olygfa banoramig wych tu hwnt.

Bu pobl yn byw yma ymhell cyn Crist a gadawsant eu hôl yn glir i genedlaethau'r dyfodol gael eu gweld. O sefyll yng nghanol y cylchoedd yma ni ellir ond dychmygu pa fath fywyd a arweiniai'r bobl hyn, mor bell yn ôl. A oeddynt hwythau hefyd yn mynd drwy'r un profiad â ninnau heddiw yn caru, galaru, chwerthin ac wylo, llawenhau ac ofni, gobeithio a phryderu?

Maes y Caerau

Llain i hwyl a llawenhau – a rhannu
cyfriniaeth a chylchau
ein byw a'n bod uwch ben bae –
a chaer i'n plant i chwarae.

Huw Dylan Owen

93

Llyn Eiddew Bach, Llandecwyn, Harlech
SH 642 346   2 Fileniwm Cyn Crist

Aiff y daith o Foel Goedog am Bryn Cader Faner â'r teithiwr drwy diroedd corsiog a gwlyb, rhwng Moel y Geifr a Moel Ysgyfarnogod, heibio Llyn Caerwych, Llyn Eiddew Mawr a Llyn Eiddew Bach. Yma ar ymyl y llwybr ger Llyn Eiddew Bach, mewn man hudolus, ond anghysbell, saif meini bychain mewn patrymau cymhleth. Dyma gylch cerrig a meini Llyn Eiddew Bach.

Meini bychain iawn sydd yma, a hawdd iawn fyddai i'r teithiwr diarwybod fynd heibio iddynt heb eu gweld, er eu bod ar fin y llwybr. Gwelir un cylch yn glir gyda thwll amlwg yn ei ganol lle y bu lladron, mae'n debyg, yn cloddio am drysor ganrifoedd yn ôl. Mae'r ôl twll yn llawer rhy fychan i fod yn olion bedd o unrhyw fath.

Mae nifer o gerrig gwynion ('quartz') yn amgylchynu'r twll. Oddeutu medr y tu allan i'r cylch o gerrig gwynion hyn mae cylch arall yn gonsentrig o feini hirion bychain. Mae'n bosibl mai olion carnedd sydd yma mewn gwirionedd, ond ni all yr arbenigwyr gytuno ar hynny.

Ymhellach fyth y tu allan i'r ddau gylch y soniwyd amdanynt eisoes ymddengys fod cylch arall eto yn gonsentrig â'r cylch cyntaf, ond yn fwy o faint o lawer. Pe byddai y cylchoedd canol wedi bod yn rhan o garnedd o rhyw fath, byddai'r cylch hwn wedi ei amgylchynu'n gyfan, a gellir dychmygu y byddai'r olygfa wedi bod yn un hynod iawn gyda charnedd fawr a chylch o'i amgylch.

Ychydig yn nes at Moel Goedog ar hyd y llwybr ceir olion carnedd ychydig yn fwy, ond eto nid yw'r garreg fwyaf yn fedr

o uchder. Yma eto mae olion amlwg fod rhai wedi bod yn cloddio wrth chwilio am drysor, heb sylweddoli mae'n debyg eu bod mewn gwirionedd yn chwalu'r gwir drysor.

Ar hyd yr ucheldir hwn gwelir meini bychain yma ac acw, rhai mewn llinellau syth ac eraill yn unig ac heb unrhyw batrwm amlwg iddynt. Nid oes unrhyw arbenigwr wedi bod yn ddigon dewr i awgrymu beth oedd swyddogaeth yr holl feini bychain hyn. Mae maint y meini yn anghyffredin iawn a'r ffaith fod cerrig mor fychan wedi parhau ar eu cyllyll cyhyd bron yn wyrthiol.

Ni allwn ond dychmygu mai seremonïol fyddai'r prif reswm am eu bodolaeth. Ger meini Llyn Eiddew Bach mae Bryn Cader Faner i'w weld yn glir ac mae effaith yr henebion hyn mewn ardal weddol fechan yn gyfareddol ac mae naws y byd cyntefig yn treiddio drwy bopeth yma.

Llyn Eiddew Bach

Hen goelion llawn dirgelwch – yn y gwyll
a si'r gwynt yn dristwch;
Llyn Eiddew mewn llonyddwch
a hud y fro drosto'n drwch.

Tecwyn Owen

Bryn Cader Faner, Llandecwyn, Harlech
SH 648 353   2 Fileniwm Cyn Crist

Mae ym Meirionnydd fan cyfrin lle mae naws y cynoesol yn codi rhyw iasau ar yr ymwelydd dieithr. Mae rhyw ddirgelwch yn chwiban anesmwyth y gwynt ac ym mref y ddafad yma. Mae popeth yn ymddangos yn hen ac yn hudol, o'r mawn dan draed i'r mynyddoedd pell. Yma, ym Meirionnydd, y ceir gwir ysbryd y cylch cerrig. Mae Bryn Cader Faner yn bychanu popeth arall yn hen gantref Meirionnydd.

Nid oes cymhariaeth rhwng rhyfeddod mawreddog y meini hyn yn eu hamgylchedd naturiol â mawredd cyfyngedig eglwysi cadeiriol ein dinasoedd. Nid oes angen waliau ar y fath eglwys; mae'r mynyddoedd, y môr, a'r awyr yn ddigon o waliau a nenfwd.

Gellir dychmygu y gwŷr cynoesol yn ymlwybro'n ofnus tuag at y rhyfeddod hwn. Wrth deithio tuag yma mae'n debyg y byddent yn cerdded heibio i'r arwyddfeini balch, heibio i gylchoedd tylwyth-têgaidd Moel Goedog, cylchoedd y Gyrn a chymhlethdod Llyn Eiddew Bach ac eraill. Ond mae'n siŵr na fyddai dim wedi eu paratoi at yr olygfa anhygoel oedd i'w croesawu yma. Fe gyfeirir yn aml at y cylch fel coron bigog neu goron ddrain, ac ni ellir ond dychmygu sut olwg a geid ar y Derwyddon, neu "offeiriaid" eraill, a reolai'r lle. Ni wyddom ychwaith sut olygfa a geid o'r meini eu hunain cyn i'r fandaliaeth ddifrodi cymaint arnynt.

Hynodrwydd Bryn Cader Faner yw'r meini a osodwyd mewn cylch pigog unigryw sydd, yn ôl yr arbenigwyr, wedi eu gosod yn fwriadol i greu argraff ar y teithiwr a ddeuai at y cylch o gyfeiriad y de. Nid yw'n ymddangos yn

drawiadol iawn o'r Gogledd nes fod y teithiwr yn ymyl y cylch, ond o'r de...
Awgryma rhai awduron mai'r rheswm fod y cylch i'w weld o'r de yw mai
claddfa brodor dylanwadol a phwysig o'r de i'r safle yw Bryn Cader Faner ac
y byddai'r orymdaith gladdu wedi nesau at y safle o'r cyfeiriad hwnnw.

Ail hynodrwydd y rhyfeddod hwn yw ei fod ar y naill llaw yn cael ei
alw'n "minor wonder of prehistoric Wales" gan yr arbenigwr Aubrey Burl,
ac "the most beautiful Bronze Age monument in Britain" yn ôl arbenigwr
arall, Frances Lynch, ond ar y llaw arall ychydig iawn o bobl Meirionnydd ac
o bobl Cymru sydd yn gwybod dim amdano.

Mae dwy ffordd o gyrraedd Bryn Cader Faner, ond does yr un ohonynt yn
syml nac yn rhwydd i'r cerddwr. Awgrymwn yn gryf felly y dylai'r teithiwr

gario map manwl a chwmpawd. Mae'r ddwy siwrnai oddeutu dwy i dair awr ac mae'r ddaear yn wleb dan draed, ond ar hyd y ffordd cerddir heibio i gylchoedd cerrig, cromlechi a charneddau niferus ac mae'r golygfeydd yn odidog. Ni ellir pwysleisio digon bod y wobr ar ddiwedd y daith yn teilyngu pob ymdrech galed ar hyd y ffordd.

Un llwybr y gellir ei ddilyn yw hwnnw heibio i Fferm Eisingrug gan gerdded ar hyd yr hen ffordd (SH615 345) am sawl milltir ar hyd taith anodd. Fodd bynnag, mae'r llwybr brafiaf a'r golygfeydd hyfrytaf i'w cael drwy gerdded ar hyd y llwybr heibio Moel Goedog.

Mae'r cylch yma sydd yng nghysgod Moel Ysgyfarnogod yn oddeutu 4,000 o flynyddoedd oed. Mae 15 carreg yn weddill a'r cyfan ohonynt yn oddeutu 3-4 troedfedd mewn uchder. Yng nghanol y garnedd mae twll hirsgwar 8 troedfedd wrth 6 troedfedd ac mae'n debyg mai cist gladdu oedd hwn. Mae'n garnedd fechan o ran maint gan ei bod yn llai na 9 medr ar ei thraws, ond mae'r effaith a geir gan y meini tenau a osodwyd ar ongl yn pwyso am allan yn creu mawredd.

Mae'n debyg mai cyfuniad a geir yma o gylch cerrig a charnedd gladdu ac mae'r arbenigwyr yn amau a oes cyfuniad o gyfnodau adeiladu yma. Mae rhywfaint o debygrwydd rhwng adeiladwaith Bryn Cader Faner a Cylch Cerrig Ffridd Newydd yn ogystal â chylch arall yn Ne Cymru, sef Carn Llechart yng Nghwm Tawe, Morgannwg. Credir na fu neb yn cloddio'n archeolegol yma.

Mae'n debyg bod 30 o feini wedi eu gosod ar eu cyllyll yma yn wreiddiol a phob un yn chwe throedfedd o uchder, ond bu fandaliaeth erchyll ar waith. Bu chwilwyr trysor yn chwalu a malu yma yn y 19eg ganrif a chredir mai hwy fu'n gyfrifol am adael twll yng nghanol y garnedd. Y twll hwn sy'n dangos lleoliad y gist gladdu wreiddiol. Ond bu fandaliaeth waeth fyth. Bu'r fyddin yma ar ddechrau'r Ail Ryfel Byd yn defnyddio'r meini tra'n ymarfer saethu'r gynnau mawr a bu iddynt hefyd symud nifer o'r cerrig.

Fodd bynnag, er y chwalu a'r difrod anfaddeuol, mae Bryn Cader Faner yn dal i fywiogi'r dychymyg ac yn fodd i'n sicrhau ein bod ni, y Brythoniaid, wedi bod yma filawdau yn ôl a'n bod ni, wrth gerdded tuag ato, yn dal i deimlo'r wefr a'r teimlad o fod yn perthyn...

Bryn Cader Faner

Ai rhodres, ai gwrhydri a gododd
yn gadarn hen feini
ar y bryn yn fawr eu bri
yn goron i rhyw gewri?

Ai coron yw'r cylch cerrig – hynodion
hen nwydau cyntefig
i'n herio ar lwyd orig
yn y mawn, a chwarae mig?

Huw Dylan Owen

Bryn Cader Faner

Meini Trawsfynydd

Saif Trawsfynydd, pentref bychan gyda seiliau hanesyddol cadarn, yng nghanol hen sir Feirionnydd. Nid yr atomfa'n unig sy'n cynhesu'r galon – o gofio fod y Rhufeiniaid wedi bod yma a'r Normaniaid wedi hynny yn Nhomen y Mur gerllaw, rhyfedd meddwl fod y diwylliant Cymraeg yn parhau mor gryf o hyd. Llan Eden Owain yw'r hen enw ar y pentref ac mae swmp o hanes o naws Cymreig a Chymraeg yn perthyn i'r ardal hefyd, o'r cromlechi a'r carneddau amlwg, at Math fab Mathonwy a fu'n trigo'n lleol yn ôl y Mabinogi, a'r hanes llawer mwy diweddar am "Gadair Ddu" Hedd Wyn.

Maen Twrog, Maentwrog
SH 664 406　　　　2 Fileniwm Cyn Crist

Tystia'r coed yw yn y fynwent hon i'r fan fod yn bwysig i'r Cymry ers cyn yr oes Gristnogol, gan fod coed yw a'u dail bytholwyrdd yn arwydd o anfarwoldeb. Yma, yn ôl chwedloniaeth, roedd mynwent gyn-Gristnogol ac allor baganaidd ac yma, yn ôl pob sôn, roedd trigolion yr ardal yn dal i addoli hyd yn oed wedi i'r grefydd newydd gyrraedd o'r Israel. Dywed y Mabinogi mai yma y claddwyd Pryderi, tywysog Dyfed, wedi iddo gael ei ladd gan Gwydion yn dilyn stori helyntion y moch.

Roedd meibion Ithel Hael o Lydaw a ddaethant i Gymru yn y chweched ganrif i gyd yn saint ac enwyd nifer o eglwysi ar eu hôl (Baglan – Llanfaglan, Tanwg – Llandanwg, Tegai – Llandygái, Twrog – Llandwrog). Nid oedd Twrog, yn ôl yr hanes yn llawen o weld yr allor baganaidd yn y fan hyn, ac felly yn ei ddicter ar ben y Moelwyn Bach, dair milltir o bellter o'r allor, taflodd y maen hwn (Maen Twrog) gan chwalu'r hen fan addoli. Saif y maen yma o hyd ac mae'n debyg fod olion ei fysedd a'i fawd yn dal i'w gweld yn glir arni.

Byddai'r tir lle saif y maen a'r eglwys wedi bod yn gorsiog yn nghyfnod Twrog, ac mae'n debygol mai adeilad o frwyn pleth fyddai gwneuthuriad yr eglwys wreiddiol. Dywed arbenigwyr ei bod yn debygol fod rhyw fath o gromlech wedi bod yma ers ymhell cyn cyfnod Crist a bod Maen Twrog yma ers milawdau. Roedd hi'n arferiad gan Gristnogion cynnar Cymru i godi eu heglwysi ar ben cylchoedd cerrig ac ati a mabwysiadu dyddiadau dathlu blynyddol yr hen grefydd a'u defnyddio i'w dibenion eu hunain ac i ddibenion y grefydd newydd.

Maen Twrog

Wedi'r Iddew ddod a'r weddi – am hedd
a maddau, dros feini
rhoed eglwys paradwys Rhi
i edliw y disodli.

Huw Dylan Owen

Llech Idris, Bronaber, Trawsfynydd

SH 731 310   2 Fileniwm Cyn Crist

Llech Idris, heb os, yw'r enwocaf o feini hirion Meirionnydd, ac o ystyried ei ffurf a'i leoliad nid rhyfedd mo hynny. Mewn llecyn diarffordd, ac eto yn amlwg o'r ffordd fechan islaw sydd yn croesi'r bont dros Afon Gain wrth droelli drwy'r dyffrynnoedd am Abergeirw, saif y maen, Llech Idris, sydd dros dair medr o uchder (gweler David Glyn Lewis, y ffotograffydd, ger y garreg yn y llun ar y dde), medr a hanner o led, ond nemor 30 centimedr o drwch (gweler y llun chwith ar y dudalen nesaf). Gwyra i lawr tua'r cwm gyda'i bigyn yn pwyntio tua'r gogledd. Credir mai un maen o'r nifer o Feini Gobaith (meini sy'n dangos y ffordd) o Llanbedr, ger Harlech, dros y Rhinogau ac ymlaen am Loegr sydd yma.

Er mor anial yw'r ardal mae olion milwyr a rhyfel yma ymhobman, o'r olion Rhufeinig a Beddfaen Porius (bedd lleng filwr Rhufeinig o'r bumed ganrif) yn is i lawr y dyffryn, at olion mwy diweddar milwyr Lloegr a fu'n ymarfer yma am nifer fawr o flynyddoedd.

Dywed hanesion chwedlonol wrthym mai Idris gawr a daflodd y maen hwn o ben Cadair Idris ynghyd a nifer o feini tebyg eraill yng nghyffiniau Dolgellau, a gwyddom fod yr enw hwn, Llech Idris, yn cael ei ddefnyddio cyn yr ail ganrif ar bymtheg yn yr ardal gan i'r naturiaethwr Edward Llwyd gofnodi hynny yn 1698. Cadair Idris a welir yn gefndir i'r llun ar y dde ar y dudalen nesaf.

103

Llech Idris

Er adrodd am wrhydri – ym mrwydrau
ymerodrol cewri
a'u hanfeidredd mewn beddi,
olion oer a welwn ni.

Huw Dylan Owen

Maen Llwyd, Trawsfynydd
SH 707 329   *2 Fileniwm Cyn Crist*

Maen arall yw hwn yn cuddio, eto fyth, ymysg y brwyn yng nghanol tir corsiog, ond nid nepell o'r hen ffordd. Y tebygrwydd yw mai un arall o'r Meini Gobaith (meini yn dangos y ffordd) ar y daith o Lanbedr, Harlech, dros y Rhinogau, heibio Bwlch Drws Ardudwy, ac ymlaen heibio Llech Idris ydyw.

Saif y Maen Llwyd yn 1.4 medr o uchder, gyda maen arall ychydig yn llai yn agos ato, ac mae'n gwyro tua'r de-orllewin.

Rhy hawdd fyddai dibrisio meini fel hyn. "Twt! Dim ond rhyw hen gerrig ydy nhw!" medd rhai. Ond awgrymwn yn garedig mai dyma'r olion a ddengys i ni pwy ydyn ni ac o ble y daethom.

Maen Llwyd

Mor rhad yw'n hoes dafladwy – yn wario
materol, a mympwy,
ond o hyd yma mae dwy
a'u hud sy' amhrisiadwy.

Huw Dylan Owen

Crawcwellt, Trawsfynydd

SH684 310   *2 Fileniwm Cyn Crist*

Yng Nghrawcwellt gwelir olion nifer o wahanol oesau. Mewn hen garnedd gladdu o'r Oes Efydd a gloddiwyd yn ddiweddar canfuwyd gweddillion amlosgi ynghyd â llwch amlosgi mewn wrn o grochenwaith hardd. Ac yma hefyd, o fewn can medr i'r garnedd, ceir olion eang o weithfeydd cynhyrchu haearn ynghyd ag oddeutu deg tunnell o wastraff slag, llawer mwy nag a ganfuwyd mewn unrhyw leoliad arall tebyg ym Mhrydain. Dywed yr arbenigwyr bod y Rhufeiniaid hefyd wedi bod yma yn cynhyrchu haearn.

Ar y gweundir hwn yn ogystal, gerllaw hen hafoty daethpwyd o hyd i weddillion llestri o'r ddeunawfed ganrif. Bu gwaith cloddio yn mynd rhagddo yma am dros ddeng mlynedd ar hugain, ond mae llawer o waith eto i'w wneud.

Crawcwellt

Yn y gweiriach gwasgarog – ar y llain,
  maent mor llwyd ysgythrog
  yn edliw yn hirhoedlog
  yn y niwl am Dir na n-Ōg.

Huw Dylan Owen

Cylch y Derwyddon / Cylch Penstryd, Trawsfynydd
SH 725 312   2 Fileniwm Cyn Crist

Yn agos at hen gapel Pen-y-Stryd ac oddeutu chwe chan medr i'r gogledd-orllewin o Llech Idris mae Cylch y Derwyddon, neu Cylch Penstryd. Cylch bychan anodd ei ganfod ar ymyl y bryn yw hwn ac yn cynnwys chwe charreg a'u pennau wedi eu torri ymaith ac sydd, o'r herwydd, yn anodd iawn eu gweld rhwng y gwair a'r brwyn. Amgylchynir y cylch bychan hwn gan gylch mwy, ond prin fod golwg o'r cylch hwnnw bellach.

O'r safle hon gwelir atomfa niwclear Trawsfynydd yn glir y tu hwnt i'r llyn ac mae'n anodd dychmygu unrhyw beth a allasai fod yn fwy cyferbyniol gyda Cylch y Derwyddon a'i naws naturiol ymysg y mwsogl a'r pridd, naws sy'n uniaethu dyn â natur yr ardal.

Cylch y Derwyddon
(gwelir atomfa Trawsfynydd o'r cylch)

Hunllef yw'r egni dychrynllyd – grëwyd
    yn graith gan wŷr ynfyd;
Oes y trais ddaeth i Ben Stryd
i'n hanfon 'nôl i'r cynfyd.
Huw Dylan Owen

Meini Penllyn

Yng ngogledd ddwyrain yr hen sir nid yw'r meini mor amlwg nac mor niferus ag y maent mewn ardaloedd eraill, ond mae'r rhai sydd yma yn fwy rhyfeddol nag unman arall. Yn wir, dywedodd un arbenigwr mai Moel Tŷ Uchaf yw y strwythur Neolithig mwyaf soffistigedig o ran geometreg ym Mhrydain gyfan, ac nid nepell o dre'r Bala mae olion prin y cylch a elwir Pabell Llywarch Hen, ar ôl yr hen fardd.

Moel Tŷ Uchaf, Llandrillo, Y Bala
SJ 056 372   3 Mileniwm Cyn Crist

Ar fryncyn ar odre'r foel sy'n cysgodi dyffrynnoedd y Ddyfrdwy a'r Alwen, mae 41 o feini wedi eu gosod mewn cylch, sydd bron yn gylch perffaith, gyda bwlch o gerrig llai yn creu mynedfa o gyfeiriad y de at y bedd-gist yn ei ganol. Dyma Moel Tŷ Uchaf.

Mae'r rhyfeddod hwn, sydd â golygfeydd prydferth neilltuol o'i gwmpas, yn 12 medr ar ei draws ac yn cynnwys meini o bob maint a ffurf. Prin fedr o uchder yw'r maen mwyaf a gwelir fod cerrig llai o lawer yn y bylchau yn y cylch, yn dangos efallai lleoliad mynedfa. Cadarnha'r bedd-gist, sydd yn amlwg yng nghanol y cylch, mai beddrod fu yma, ac yn arferol mewn strwythur o'r math yma disgwylid y byddai carnedd ar ben y bedd, ond nid felly y mae. Os symudwyd y cerrig o'r garnedd gan amaethwyr, paham tybed y gadawyd y cerrig bychain yn y cylch? Mae'n debygol felly na fwriadwyd hwn i fod yn ddim ond cylch cerrig ac fe saif heddiw yn union fel y'i cynlluniwyd. Gellir gweld y cylch hwn o waelod dyffryn y Ddyfrdwy islaw, ac oddi yma gellir gweld Cylch Tyfos (gweler Tudalen 111) ymhell i lawr yn y cwm. Gwelir carneddau eraill yn y caeau cyfagos hefyd. Ni ellir peidio rhyfeddu o sylweddoli na fu newid mawr yma ers i'r cylch hwn gael ei godi.

Yn 1974 bu dychryn yn yr ardal pan adroddodd rhai iddynt weld UFO yn hedfan uwchben y bryn hwn ac yn taflu golau tuag at y cylch. Bu peth helbul pan glywyd ffrwydrad enfawr a fesurai rhwng 4 a 5 ar y raddfa Richter ac adroddwyd fod y fyddin wedi cau'r ffyrdd a arweiniai i fyny at Moel Tŷ Uchaf. Cysyllta rhai y digwyddiad rhyfedd hwn, gyda chwedlau lleol am ddreigiau'n hedfan a goleuadau rhyfedd uwchben Moel Tŷ Uchaf.

Mae dau o farciau cwpan wedi eu naddu ar un o'r cerrig yng nghylch Moel Tŷ Isaf ac fel y gwelir yn y llun ar dudalen 108 ceir rhyw argraff digon erchyll ac arswydus fel petai rhywun yn edrych ar wyneb hen gawr yn codi o'r ddaear.

Moel Tŷ Uchaf

Er i'r aflan ddiflannu, – daeth diwedd
　　i'r bedd a'r aberthu;
Fe wêl drwy yr oesau fu
　　ellyll fan hyn yn syllu.

Huw Dylan Owen

Cylch Cerrig Moel Tŷ Uchaf

Cylch Tyfos, Llandrillo, Y Bala
SJ 028 387   *3 Mileniwm Cyn Crist*

Dim ond wrth sefyll yng nghanol y cylch a elwir Cylch Tyfos y gellir gwerthfawrogi o ddifri' maint y cerrig enfawr sydd yn orweddol yn y cae ger ffermdy Tyfos. Byddai'n deg eu disgrifio fel clogfeini yn hytrach na meini hirion. Gorweddant yn eu cylch megis Cleopatriaid cynoesol yn lled orwedd ar eu gwelyau o wair.

Saif y cylch, sydd yn 17 medr ar ei draws, ar dwmpath dros fedr o uchder a grëwyd gan ddyn. Mae 13 carreg yma, ynghyd ag olion lle bu rhai eraill, ond yn wahanol i'r rhan fwyaf o gylchoedd cyffelyb, nid oes olion o fedd yma o gwbl. Gellir gweld Moel Tŷ Uchaf ymhell yr ochr draw i'r dyffryn.

Mae'n debyg y bu carnedd yma rhyw dro ac mai seiliau i'r garnedd oedd y meini hyn, ond bellach nid oes unrhyw olion o'r hen garnedd na'r deunydd crai a fu ynddi. Mae edrych ar y clogfeini hyn, clogfeini a fu yma ers dros bum mil o flynyddoedd yn atgoffa rhywun o'i farwoldeb a'i oes fer.

Teimlir rhyw dawelwch ysbrydol yn fan hyn sy'n debyg i'r ymdeimlad o heddwch a geir weithiau mewn hen eglwysi.

Cylch Tyfos

Ni theimlir asbri'r ysbryd – na'i hwyliau
mewn capeli llychlyd;
'Nghwmni meini am ennyd
Mi gaf rym a gwefr o hyd.

Huw Dylan Owen

Branas Uchaf a Tan-y-Coed, Llandrillo, Y Bala
SJ 011 375   *4 Mileniwm Cyn Crist*

Ar dwmpath o wneuthuriad dyn, llai na milltir o Llandderfel ac yn agos at y ffordd a deithia yn gyfochrog â'r afon Ddyfrdwy ar waelod y dyffryn hwn, saif carnedd Branas Uchaf. Yn wreiddiol byddai'r twmpath wedi mesur yn gylch cywir dros 30 medr ar ei draws, ond bu'r aradr yn brysur yma a bellach mae'r twmpath yn hirgrwn ac yn gryn dipyn llai o faint. Mae llawer o'r deunydd a fu yn y garnedd wedi ei symud gan adael siambr gladdu agored, a fyddai yn wreiddiol mae'n debyg wedi bod yng nghanol y garnedd.

Mae'r capfaen wedi diflannu ynghyd a nifer o'r prif feini eraill, ond wele'r meini mawr sy'n dal y llidiart wrth fynedfa'r cae hwn. Tybed o ble y daethant?

Mae'n anodd meddwl sut olygfa fyddai wedi bod yma filawdau yn ôl gan fod cymaint o ddifrod wedi ei wneud i'r heneb. Fodd bynnag, gellir dychmygu fod siambrau claddu yn wreiddiol ar ffurf tebyg i Bryn Celli Ddu a Barclodiad y Gawres ar Ynys Môn wedi bod yma.

Ychydig ymhellach at Gynwyd yr ochr draw i'r afon ar lawr y dyffryn mae carnedd gellog Tan y Coed. Gellir gweld y garnedd hon yn rhwydd o'r ffordd wrth fyned heibio tuag at Corwen. Mae'r garnedd yno yn ei chrynswth, ond wedi ei difrodi a'i dadfeilio i'r fath raddau fel mai prin y gellir ei hadnabod fel siambr gladdu. Mae'n debyg ei bod, yn yr un modd â Branas Uchaf, wedi bod yn grwn ar un adeg, ond fod gwaith amaethwyr wedi tarfu ar ei ffurf. Bellach mae'r capfaen yn gorwedd ar ben y twmpath yn wastad gyda lefel pen y twmpath.

Defnyddiwyd y garnedd hon ar hyd y canrifoedd diweddar fel storws i amaethwyr ac yna yn gwt ci am flynyddoedd lawer. Adeiladwyd wal gerrig yn ychwanegol at y garnedd ac fe'i gwelir hyd heddiw yn fur i fynedfa y garnedd hen hon.

Cefn Caer Euni, Sarnau, Y Bala
SH 993 410   3 Mileniwm Cyn Crist

Bu'r bardd o'r Sarnau, Gerallt Lloyd Owen, ger llyn Cefn Caer Euni a dywedodd:

"Yno mae rhyw ddoethineb
Gan y Grug,
A gwybod uwchlaw dynion gan y brwyn a'r hesg."

Yn wir, mae rhyw ryfeddod yma'n sicr. A gwyddai yr hen bobl hynny. Yng ngolwg olion hen gaer Geltaidd ar y bryn gerllaw fe welir dau gylch cerrig, un o bob tu i'r llwybr. Cylch gyda chwrb yw'r mwyaf, tra mae'r lleiaf yn gylch-garnedd. Dywed arbenigwyr fod arteffactau a ganfuwyd yma, megis brwyn pleth, wedi eu creu a'u defnyddio gan ddyn mor bell yn ôl a'r drydedd fileniwm cyn Crist.

Mae'r cylch-garnedd fechan yn cynnwys cylchoedd consentrig a chynllun cymhleth iddynt. Fe welir hefyd fod cerrig gwynion bychan ('quartz') wedi eu lledaenu yn eang o amgylch y cylchoedd. Dywed arbenigwyr hefyd fod twll i'r ddaear yma wedi ei lenwi gyda phridd du a darnau mân o gerrig gwynion.

Nid oes llawer o fwlch rhwng y ddau gylch a phrin fod bwlch o gwbl mewn un man lle mae'r ddau gylch bron a chyffwrdd.

Dywed traddodiad fod y cylch mwyaf yng Nghefn Caer Euni wedi ei ddefnyddio yn rheolaidd yn y ddeunawfed ganrif fel talwrn ymladd ceiliogod.

Cefn Caer Euni

Ddoi di eto i Gefn Caer Euni
    draw at lan y llyn
i synhwyro'r hud a lledrith
    sy'n y cerrig syn?
Ddoi di'i deimlo'r iasau'n treiglo'n
    araf rhwng yr hesg a'r brwyn?
Ddoi di'i wrando'r oesau'n sisial
    ar yr awel gyda'u cwyn?

                Huw Dylan Owen

Maen Hir y Rhos, Coed y Bedo, Sarnau, Y Bala
SH 966 400 *2 Fileniwm Cyn Crist*

Yn chwe throedfedd o uchder mae'r maen hwn yn eglur i fodurwyr o'r ffordd gyfoes ac i gerddwyr yr hen ffordd dros y Foel Goch ac ymlaen i Gerrigydrudion. Saif ar dir corsiog yn Nghae'r Rhos ac mae peth tystiolaeth o weithgarwch dyn cynnar ac anheddau yn y caeau cyfagos, yn ogystal a thwmpathau o gerrig llosg. Dywed traddodiad lleol fod hen feddau mewn cae cyfagos, cae a elwir yn Cyneddor. Mae'r maen ei hunan bron yn grwn yn y bôn ac yn troi'n fain at y pen uchaf a dychmygwn mai Maen Gobaith (maen i ddangos y ffordd) ydyw, neu gallai fod yn gofeb o bosib.

Yr awdur, Huw Dylan Owen, a welir yn y llun hwn gyda Maen Hir y Rhos.

Bu'r cywyddwr serch, Bedo Aeddren, o Langwm, yn berchen ar Goed y Bedo yn ystod y bymthegfed ganrif ac mae'n debyg mai dyna sail yr enw, ac nid y coed bedw a welir yn yr ardal heddiw. Roedd Bedo Aeddren yn dilyn arddull cywyddau serch Dafydd ap Gwilym ac fe'i claddwyd yn Eglwys Llanfor.

Teimlir rhyw ryfeddod wrth ystyried oed y meini hyn a sylweddoli iddynt oroesi cyfnodau hanesyddol, un ar ôl y llall. Anodd yw credu y bydd unrhyw ôl cadarnhaol o adeiladau o'n hoes ni i'r dyfodol pell. Gwelodd y maen hwn ddyfodiad crefyddau, hiliau a'u rhyfelwyr... a gwelodd eu cefn hwynt hefyd.

Maen Hir y Rhos

Gwelais dderwyddon a diaconiaid;
 Clywais Lychlynwyr a gwŷr o Geltiaid;
Gwyliais gigfrain yn dilyn Rhufeiniaid,
 A phrofais fidog miniog Normaniaid
cyn gwae seiniau Sacsoniaid. 'Rwyf o hyd –
 o'r cynfyd, ennyd fu hyn i f'enaid.

Huw Dylan Owen

Pabell Llywarch Hen, Llanfor, Y Bala

SH 938 365   2 Fileniwm Cyn Crist

Canodd Llywarch Hen yn y nawfed ganrif:

> *"Keis Dyfrdwy yn ei therfyn,*
> *O Weloch hyd Traweryn.*
> *Bugail lloe, Llanfawr llwybryn."*

Ac er nad oes olion sylweddol bellach, dengys y tirwedd i ni, a ceidw hanes a chof cenedl yn fyw mai yma y lleolwyd yr hyn a elwir yn Pabell Llywarch Hen, yng nghysgod Llanfor, ger y Bala. Cylch cerrig fu yma o'r Oes Efydd ynghyd â thri chylch-garnedd yn yr un ardal, ond wrth gwrs yr oeddynt yma mewn gwirionedd ganrifoedd lawer cyn dyddiau Llywarch Hen. Yn anffodus

nid oes olion caregog yma bellach, er fod ambell garreg a fu o bosibl yn rhan o'r cylchoedd, bellach yn cuddio'n y gwrychoedd cyfagos, ond gwelir yn y tirwedd olion yr hen gylch ar lan y Ddyfrdwy, sef "dŵr dwyfol".

Mae'r safle yn un hanesyddol yng ngwir ystyr y gair gydag olion cynoesol, llawer o olion gwersylloedd byddin Rhufain ar hyd yr ardal, a gwelir yn eglwys Llanfor gerllaw hen faen ac ysgrifen arno yn cofnodi marwolaeth Cavos mab Seniargos o'r chweched ganrif.

Yn ôl traddodiad, Mab Elidyr Llydanwyn oedd Llywarch Hen, brenin olaf De Rheged. Bu'n rhaid iddo ddianc gyda'i deulu i ardal Penllyn yn niwedd y chweched ganrif a daeth yn un o brif feirdd Prydain. Priodolir rhai o arwrgerddi mawr y Gymraeg iddo, gan gynnwys marwnadau Urien Rheged, Cynddylan o Bengwern ac i'w feibion ei hun. Cyrhaeddodd oed mawr a chanodd englynion dirdynnol yn disgrifio'i henaint a'i analluedd o'i herwydd. Fodd bynnag, dangosodd Ifor Williams mai arwr yn yr hen gerddi oedd Llywarch, ac nid o reidrwydd y bardd a gyfansoddodd y cerddi, a'i fod yn hen ŵr musgrell yn y cerddi yn ceisio annog ei feibion i frwydro i amddiffyn eu treftadaeth rhag y Saeson.

Disgrifiodd Llywarch Hen ei hun yn y gerdd "Henaint":

"Y ddeilen hon, neus cynired gwynt,
Gwae hi o'i thynged!
Hi hen; eleni ganed."

"Hi Hen – Eleni Ganed"

Mae yno fwy na meini, – hanesion
hen oesau sy'n corddi
yn y niwl i'n herio ni
yn dawel – os gwrandewi.

Huw Dylan a Tecwyn Owen

Maen Rhyd-y-main

Rhwng y Garneddwen a Bryn Coed Ifor mae Dolfeili, nid nepell o hen westy'r Hywel Dda, ar ymyl yr hen ffordd ar hyd y dyffryn cul hwn.

Maen Dolfeili, Rhyd-y-main, Dolgellau
SH 826 235   2 Fileniwm Cyn Crist

Yn cuddio yng nghanol llystyfiant trwchus ac o fewn ugain medr o'r hen rheilffordd a arferai gario teithwyr o'r Abermo ymlaen drwy Ddolgellau am y Bala a Chorwen, saif Maen Dolfeili. Yn wir, mae'r maen wedi ei leoli mor agos at yr hen reilffordd nes i ni ei ailfedyddio yn Maen Ifor, fel teyrnged i'r trên hwnnw fu'n ein diddanu pan yn blant, gan gofio yn ogystal fod Bryn Coed Ifor mor agos. Ond yn hanes y maen hwn, daeth y trên ac fe aeth y trên, ond safodd y maen yn ddisymud drwy amser.

Nid gor-ddweud fyddai disgrifio'r maen fel petai'n cuddio oddi wrthym. Prin fod pen y maen hwn i'w weld oherwydd y tyfiant, a bu'n rhaid ymbalfalu a chloddio drwy'r drysi i'w ganfod a gwastatau'r chwyn cyn gallu tynnu llun.

Tra gyrrai'r trên stêm heibio'r llecyn hwn byddai perchennog Dolfeili yn ddyddiol yn gosod potel fechan ar ben y maen gan wybod y byddai gyrwyr yr injan stêm yn cystadlu am y gorau i geisio taro'r botel drwy daflu darnau o'u glo ato. Ni fu'n rhaid i ŵr Dolfeili dalu am lo i gadw'r tân ynghyn am flynyddoedd lawer.

"Mor ofnadwy yw'r lle hwn......ac a gymerth y garreg a osodai efe dan ei ben, ac efe a'i gosododd hi yn golofn, ac a dywalltodd olew ar ei phen hi."

– Genesis 28:17-18

Meini Ar y Cyrion

Defnyddiwyd map o'r hen sir Feirionnydd fel yr oedd cyn symud y ffiniau yn 1974 ar gyfer y gyfrol hon, ond mae angen cofio am ambell i garnedd neu gromlech sydd nid nepell o ffiniau cantref Meirionnydd. Yma fe welwch y rhai pwysicaf sydd o fewn tafliad carreg i ffiniau Meirionnydd.

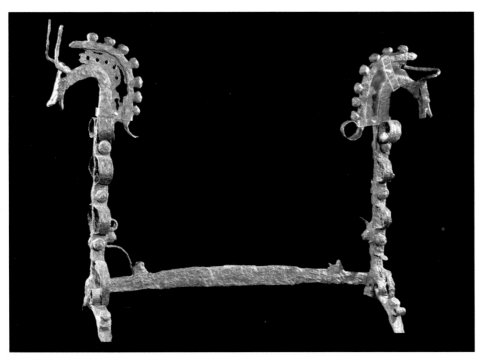

Llun ⑪ Amgueddfa Genedlaethol Cymru

Capel Garmon, Betws y Coed
SH 818 543
3 Mileniwm Cyn Crist

Mae siambr gladdu Capel Garmon yn hanesyddol bwysig, wedi ei chadw mewn cyflwr arbennig ac fe ganfuwyd creiriau rhyfeddol yno. Ymddengys i'r siambr gael ei defnyddio am dros fil o flynyddoedd a chafwyd hyd i grochenwaith yno. Yn yr un ardal yn 1852 darganfuwyd pentan haearn (firedog) a grëwyd ychydig gannoedd o flynyddoedd Cyn Crist.

Mae'r siambr gladdu hon yn werth ymweld â hi.

Cadair Bronwen, Llandrillo

SJ 072 327   *2 Fileniwm Cyn Crist*

Ar fynyddoedd y Berwyn rhwng Llanrhaeadr ym Mochnant a Llandrillo gwelir ar hyd y daith tuag at Cadair Bronwen, nifer fawr o gromlechi, carneddau a meini. Mae Maen Gwynedd yn faen amlwg a fu yn arwydd o'r ffin rhwng Gwynedd a Phowys, ond a fu yno cyn bodolaeth Gwynedd na Phowys. O ben Cadair Bronwen gwelir Bwrdd Arthur, sydd yn heneb unigryw gyda'i wyneb yn hollol wastad. Golyga ymweliad â Chadair Bronwen gerdded caled, ond datgela'r daith ryfeddodau cyntefig.

Llyn Brenig, Cerrigydrudion

SH 986 589   *2 Fileniwm Cyn Crist*

Darparwyd taith benodol gan Ymddiriedolaeth Archeolegol Clwyd Powys ar gyfer ymweld â'r henebion sydd yn ardal Llyn Brenig, ger Cerrigydrudion. Ar y daith gwelir amrywiaeth o garneddau, cylchoedd a meini o bob math a'r rheini wedi eu cloddio a'u hymchwilio'n fanwl.

Rhosdyrnog a Mynydd Dyfnant, Llangadfan

SH 985 157   *2 Fileniwm Cyn Crist*
SH 827 005

Rhes o gerrig yw Meini Bryn Bras ar fynydd Dyfnant ger Llangadfan ac yn Nghomins-coch ger Glantwymyn mae'r Maen Llwyd neu Rhosdyrnog, sef maen hir a saif ar fryn amlwg gyda golygfeydd eang.

Cist Cerrig, Moel y Gest, Porthmadog
SH 544 384   3 Mileniwm Cyn Crist

Gyda'r olygfa drawiadol yn gefndir i'r meini hynafol a gafaelgar yma, prin fod yna lecyn mwy gogoneddus ar hyd arfordir Cymru, ond nid oes mynedfa gyhoeddus at Cist Cerrig ac mae'r daith ati yn drafferthus. Yma saif tair carreg ar eu cyllyll a fu, unwaith, yn rhan o gromlech ac adeiladwaith ehangach. Gadawodd yr oesau eu hôl ar y meini ac fe'u dinoethwyd o'u capfaen a'u gorchudd gwreiddiol. Saif y cerrig yn dalog gadarn yn eu henaint, henaint a wna i Gastell Criccieth, a welir yn y pellter yn y llun, ymddangos fel baban newydd anedig, ond sydd eisoes yn dadfeilio.

Mae lliw y cerrig hyn yn llwyd olau, bron yn wyn, a'r lliw hwnnw yn cyferbynnu'n llwyr gyda'r creigiau eraill yn uwch i fyny Moel y Gest ac at yr hen gaer Geltaidd sydd yno.

Ychydig tua'r de, ceir marciau cwpan bychan ar graig sydd bellach yn ran o sylfeini wal gerrig.

Dywed rhai yr ymdebyga Cist Cerrig i gadair eistedd foethus. Ni chytunwn â hynny, ond mae'n le delfrydol i ymlacio a chael trem ar y byd am funud neu ddau.

Moel y Gerddi, Llanfair, Harlech
SH 616 317   4 Mileniwm Cyn Crist

Nid meini hirion a geir ym Moel y Gerddi ac mi fyddai'n deg cwestiynu pam y gosodwyd y lleoliad hwn yn yr adran "Ar y Cyrion" gan ei fod o fewn tafliad carreg go sylweddol at Bedd Gurfal, ac nid nepell ychwaith oddi wrth Moel Goedog a'r Cutiau'r Gwyddelod cyfagos yng nghanol mynyddoedd Meirion. Ond nid yw'r hen anheddiad hwn yn eistedd yn hollol gyfforddus ymysg y meini a'r cromlechi, a thecach yw cyfeirio ato yn y fan hyn.

Gweddillion anheddiad cynoesol ar fryncyn bychan geir islaw Moel y Gerddi a gerllaw ffermdy Gerddi Bluog. Gerddi Bluog oedd cartref tylwyth Edmwnd Prys (1544-1623), archddiacon Meirionnydd a'r bardd a gyfieithodd y Salmau i'r Gymraeg mewn penillion emynau ar gyfer eu canu yn yr eglwys.

Adeilad crwn oddeutu deng medr ar hugain ar ei draws oedd anheddiad Moel y Gerddi. Rhwng y ddau fynediad i'r cartref roed aelwyd yng nghanol y tŷ. Gwnaed llawer o waith cloddio ymchwiliadol yma yn nechrau'r unfed ganrif ar hugain a chanfuwyd, drwy astudio'r paill mewn mawnog gerllaw, fod tystiolaeth o waith clirio llystyfiant er budd amaethu yma chwe mil o flynyddoedd yn ôl.

Cefn Isaf, Rhoslan, Criccieth
SH 484 409   4 Mileniwm Cyn Crist

Fel rheol fe welir meini cadarn a chryf yn cario pwysau'r capfaen yng nghromlechi Cymru, ond yma yng Nghefn Isaf saif dau faen tenau bob pen i'r capfaen yn ei chario fel seiri hebrwng ag arch ar eu cefnau. Dim ond yng Ngwynedd, Penfro, Cernyw ac Iwerddon y gwelir cromlechi porth, felly mae'r ffaith fod Cefn Isaf yng nghyffiniau cromlech Ystumcegid yn cynnig taith bleserus i weld dwy gromlech gyffelyb ar un siwrne.

Ystumcegid, Rhoslan, Criccieth

SH 498 413   *4 Mileniwm Cyn Crist*

Dyma un o safleoedd mwyaf trawiadol Cymru. O fewn pellter cerdded rhwydd o gromlech Cefn Isaf a chyda golygfeydd ysblennydd ceir rhyw ymdeimlad rhyfedd yma o ddiogelwch a chlydwch yng nghanol y mynyddoedd.

Gorwedd y capfaen enfawr, sydd dros bedair medr ar ei hyd, ar flaenau pellaf y meini main nes codi ofn ar y dewr a gyrcyda oddi tani.

Unwaith eto fe ddifrodwyd llawer ar y garnedd wreiddiol ac adeiladwyd wal gerrig gyda'i hochr. Fe edrydd Thomas Pennant yn y ddeunawfed ganrif fod tair siambr yn y gromlech hon ac felly gallwn ddirnad fod y difrod wedi ei wneud yn ystod y ddwy ganrif ddiwethaf.

Ceir hanesion am dylwyth teg yn yr ardal a hynny yn gysylltiedig â'r meini hyn, sonnir amdanynt fel gwragedd hudolus oedd ag ofn haearn, a'r gwŷr yn beryglus eu swynion a'u dyrnau. Mae'n debyg fod llinach y tylwyth teg yn dal i fyw yn yr ardal a'i bod yn bosib eu hadnabod o'u pryd a'u gwedd, eu croen melyn a'u gwallt tywyll.

Meini Coll

Bu bodau dynol yn cerdded ar hyd tiroedd Cymru am dros ddau gant ac ugain mil o flynyddoedd, a gadawsant olion yn dystiolaeth i ni. Meiriolodd rhew oes yr ia, a phymtheg mil o flynyddoedd cyn Crist dychwelodd dyn yn ôl i Gymru. 'Rydym yma o hyd, ond yn anffodus llwyddwn heddiw i adael mwy o olion o'n teyrnasiad ni ar y ddaear nac a wnaeth unrhyw genhedlaeth o'r blaen. Y ni yw'r dyn cyntefig mewn gwirionedd.

Y meini hyn ar draws Cymru, a'r rhai cyffelyb ar draws y byd o Carnac yn Llydaw i Gôr y Cewri yn ne Lloegr, yw ein treftadaeth a'n hetifeddiaeth. Y rhain yw'r creiriau a drosglwyddwyd o genhedlaeth i genhedlaeth i'w gwarchod ac i gyd-fynd â'n hiaith, ein diwylliant cyfoethog, ein cerddoriaeth, ein cynghanedd a'n credoau. Dylid eu parchu, eu gwarchod a'u trysori.

Yn anffodus, prin yw'r parch a roir yn aml i'r henebion hyn. Saif y rhan fwyaf o'r meini heb unrhyw ffens na wal, na dim arall i'w gwarchod ac yn aml iawn fe'u hesgeuluswyd. Cerdda'r defaid ac anifeiliaid amaethyddol eraill drostynt yn ddirwystr a chaniateir i'r cyhoedd wneud fel a fynnant yn y safleoedd hynafol hyn. Gwelsom ni, tra'n ymweld â'r meini hyn, fel yr amherchir rhai ohonynt trwy i amaethwyr godi waliau, neu hyd yn oed eu defnyddio fel storfeydd ac yn y blaen. Drwy ymddwyn fel hyn yr ydym fel pe baem yn benderfynol o sicrhau na fydd rhai henebion ar gael i genedlaethau'r dyfodol gael eu trysori.

O ddarllen hen lyfrau am Feirionnydd gwelwn fod nifer dda o gromlechi, carneddau, meini hirion a chylchoedd cerrig wedi diflannu yn ystod yr ugeinfed ganrif. Diflannodd henebion megis Beddau'r Gwroniaid, Carn Cadell Isaf, Meini Hirion Gwastadfryn, Carnedd Llwydiarth Bach, a Bryn y Cistiau, a theg yw holi ynglyn â tharddiad enwau lleoedd megis Maes y Garnedd ac ati. I ble'r aeth y garnedd ym Maes y Garnedd tybed? Nid oes unrhyw olion ohoni mwyach.

Erbyn hyn mae dulliau archeolegwyr yn gwella ac maent yn aml yn llwyddo i gloddio safle heb ei ddifrodi a'i ail osod yn daclus heb fawr o ôl cloddio o gwbl. Ond peth rhyfedd yw datblygiad gwyddonol ac fel rheol derbynnir amharch ac ymddygiad anfoesegol yn ddi-gwestiwn er mwyn diwallu'r angen dynol am fwy a mwy o wybodaeth.

Pa sawl blwyddyn tybed fyddai'n dderbyniol i'w treiglo cyn ei bod yn iawn cloddio bedd a chodi ysgerbwd? A fyddai hynny'n dderbyniol wedi blwyddyn, deng mlynedd, canrif neu fil o flynyddoedd? A oes cyfiawnhad posibl i arddangos corff unigolyn mewn amgueddfa i'r cyhoedd gael ei astudio a rhyfeddu?

Tybed, wedyn, a ddylid symud rhai darnau o henebion i amgueddfa? Cludwyd nifer dda o feini a chreiriau y cynnoes o Feirionnydd i'r amgueddfa yng Nghaerdydd. Pa hawl sydd gennym ni i symud y creiriau hyn? A fyddai modd eu cadw'n ddiogel yn nes at fan eu claddu? Yn aml rhoir cyfiawnhad dros symud meini â phatrwm wedi eu naddu arnynt drwy sôn am erydu'r patrwm yn ein hinsawdd gwlyb. Credwn ni y dylid sicrhau hir oes y patrymau yn eu cynefin.

Gyda dyfodiad technegau newydd o ganfod beth sydd yn y ddaear heb gloddio yn y safle, a'r technegau nas darganfuwyd eto, ond a gaiff eu defnyddio yn y canrifoedd sydd i ddod, awgrymwn mai doeth fyddai peidio cloddio pob heneb, ond eu gadael yn union fel ag y maent, ac fel ag y buont ers milawdau, ar gyfer y genhedlaeth nesaf o archeolegwyr.

Credwn mai'r cam cyntaf at ennyn parch Cymry at eu treftadaeth yw sicrhau eu bod yn ymwybodol o'i fodolaeth a hyderir fod y llyfr hwn yn gam cyntaf i hybu'r diddordeb. Gwyddom am lawer rhagor o feini a charneddau ar draws yr hen sir a hoffem danlinellu mai dim ond y rhai mwyaf amlwg a gofnodir yma. Ond y rhain yw'r rhai sydd mewn cyflwr gweddol a chyda'r rhain y mae'r gobaith gorau o'u cadw a'u trysori am filawdau eto i ddod.

Gobeithiwn yn wir na fydd yn rhaid i neb ysgrifennu ymhen canrif arall i ddatgan nad yw rhai o'r meini a ddisgrifir yn y llyfr hwn yn bodoli rhagor.

Diweddglo

Credwn mai codi carreg ar ei hymyl oedd y weithred gyntaf yn hanes y ddynoliaeth i roi'r argraff i ddyn ei fod yn gallu mynegi ei hun ar y ddaear, ei rwygo oddi wrth fogail y fam ddaear o bosibl. Ai dyma'r dechrau ar gyfer y rhaniad mawr rhwng dyn a'r ddaear? Ai dyma'r cam cyntaf ar y llwybr tuag at broblemau tŷ gwydr ein cread ni heddiw? Pwy ŵyr.

Trigai'r Brythoniaid drwy Brydain gyfan bron. O Aberdeen (=Aber + Afon Deen) lawr i Dover (Dwfwr/Dwfr/Dwr). Tra roedd yr Eifftiaid yn creu masg marwolaeth i'r brenin o fachgen, Tutankhamun, yn 1323 CC, roedd rhai o'r symbolau hyn o'r hen drefn, yr hen wareiddiad Brythonig, yn gromlechi a charneddau o garreg, a godwyd gan y Brythoniaid, eisoes yn dair mil o flynyddoedd oed.

Roedd y Brythoniaid yn bobl wâr, yn siarad un o'r ieithoedd hynaf yn Ewrop ac yn falch o'u diwylliant Celtaidd. Ond dros y canrifoedd daeth dylanwadau estron yn sgil rheolaeth nifer o ymosodwyr. Gadawodd y Rhufeiniaid Prydain yn 440 OC, gan adael y Brythoniaid i amddiffyn eu gwlad yn erbyn y gelyn Sacsonaidd. Cafodd y Brython ei yrru yn ôl ymhellach ac ymhellach i'r Gorllewin, nes yn 616 OC, bu colled enfawr mewn brwydr ger Caer a bu i'r Brythoniaid yng Nghymru golli y cysylltiad gyda'u cefndryd Brythonig yng Nghernyw a Chumbria. Erbyn 633 OC roedd y Brythoniaid yng Nghymru yn galw eu hunain yn Gymry ac wedi aros o fewn ffiniau Cymru. Er iddynt gael eu concro gan y Saeson yn 1282 OC ac i'r wlad gael ei uno â Lloegr yn 1536 OC, mae'r Cymry heddiw yn dal i siarad eu hiaith ac yn falch o wrthod anghofio eu diwylliant a'u treftadaeth.

Ychydig flynyddoedd yn ôl gwnaeth yr Athro Bryan Sykes, arbenigwr yn y maes, arolwg DNA "mitocondrial" yng Ngheredigion gan ganolbwyntio ar blant ysgol yn Llanbedr Pont Steffan. Casglodd samplau o'r DNA gan ddisgyblion oedd yn siarad Cymraeg, plant a oedd hefyd gyda mam-gu yn byw yn yr un ardal. Profwyd fod 34% ohonynt yn perthyn i linach y Brythoniaid a adeiladodd Pentre Ifan, cromlech ger Abergwaun. Doedd dim tebygrwydd rhwng DNA'r ieuenctid hyn a DNA ieuenctid Celtiaid Canol Ewrop.

Oes ryfedd o gwbl ein bod yn teimlo ias ein cyndeidiau wrth gyffwrdd â'r meini hyn? Oes syndod ein bod yn disgwyl iddynt lefaru wrthym? Bydded i'r meini hyn fod ym Meirionnydd am filawdau eto i ddod. Gobeithio nad aiff y pethau hyn fyth yn bethau "na ŵyr neb amdanynt 'nawr" fel y dywedodd Waldo Williams. Yn 61 OC lladdwyd derwyddon Môn gan y Rhufeiniaid ar lan y Fenai a daeth oes y derwyddon a'r Brython rhydd i ben. Er hyn, 'rydym yma o hyd ac yn falch o'r symbolau sy'n datgan i ni fod yma ers amser maith.

Sonia englyn Mei Mac am wal gerrig, ond fe'n hatgoffir ganddo o'n teimladau ninnau tuag at y meini hen.

I minnau nid yw'r meini – yn gerrig
        Oeraidd. Fel Eryri
A'r pridd, rwy'n perthyn iddi:
Y mae 'na iaith rhyngom ni.

                                    Meirion MacIntyre Huws

Llyfryddiaeth

Cyfeiriwyd at nifer helaeth o destunau wrth baratoi ar gyfer y gwaith hwn. Fodd bynnag, nid yw'r gofod yn caniatáu i ni nodi pob ffynhonnell. Rhestrir isod y prif weithiau a fyddai o fudd pe dymunid darllen ymhellach.

Barber, C & Williams, JG (1989) *The Ancient Stones of Wales*. Blorenge Books, Abergavenny

Bowen, EG & Gresham, CA (1967) *History of Meirioneth, Vol.1*. Meirioneth Historical and Record Society, Dolgellau

Burrows, S (2006) *Cromlechi Cymru: Marwolaeth yng Nghymru 4000 – 3000 CC*. Amgueddfeydd ac Orielau Cenedlaethol Cymru, Caerdydd

Cope, J (1998) *The Modern Antiquarian*. Thorsons, London

Davies, DA (2006) *Megalith – Eleven Journeys in Search of Stones*. Gomer Press, Llandysul

Ifan, DG (1979) *O'i Ben I'w Gynffon – Chwedlau a ffeithiau am lynnoedd Meirion*. Cyhoeddiadau Mei, Caernarfon

Lynch, F (1995) *Gwynedd – A guide to ancient and historical Wales*. HMSO, London

Pryor, F (2003) *Britain BC – Life in Britain and Ireland before the Romans*. Harper Perennial, London

Smith, JB & Smith LB (2001) *History of Meirioneth, Vol.2*. Meirioneth Historical and Record Society, Dolgellau

Sykes, B (2001) *The Seven Daughters of Eve*. Corgi, London

Mynegai

Hwyrnos – a ninnau heb ddirnad fan hyn
Hen feini oer, gwead
Eu ffydd - ond erys coffâd
Gwawr rudd dros eu gwareiddiad.

Huw Dylan Owen